3·2

Chunjae
Makes
Chunjae

▼

[수학 단원평가]

기획총괄 박금옥

편집개발 지유경, 정소현, 조선영
최윤석, 김장미, 유혜지

디자인총괄 김희정

표지디자인 윤순미, 여화경

내지디자인 박희춘

제작 황성진, 조규영

발행일 2022년 4월 15일 3판 2024년 4월 15일 3쇄

발행인 (주)천재교육

주소 서울시 금천구 가산로9길 54

신고번호 제2001-000018호

고객센터 1577-0902

1

곱셈

개념 ❶ (세 자리 수)×(한 자리 수)(1)

● 231×3의 계산

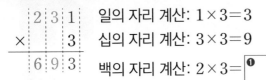

일의 자리 계산: 1×3=3
십의 자리 계산: 3×3=9
백의 자리 계산: 2×3=❶

개념 ❷ (세 자리 수)×(한 자리 수)(2)

● 215×4의 계산 — 일의 자리에서 올림이 있음

```
    2
  2 1 5
×     4
  8 6 0
```

일의 자리를 계산한 결과인 20을 십의 자리로 올림해 줍니다.

개념 ❸ (세 자리 수)×(한 자리 수)(3)

● 951×7의 계산 — 십, 백의 자리에서 올림이 있음

```
    3
  9 5 1
×     7
  6 6 5 ❷
```

백의 자리를 계산한 결과인 6300과 십의 자리에서 올림한 수 300을 더한 6600 중 6000을 천의 자리로 올림해 주고 나머지 600을 백의 자리에 씁니다.

개념 ❹ (몇십)×(몇십), (몇십몇)×(몇십)

● 20×30의 계산

2×3=6 ⇨ 20×30=❸

```
    2 0
×   3 0
  6 0 0
```

● 14×20의 계산

14×2=28 ⇨ 14×20=280

```
    1 4
×   2 0
  2 8 0
```

개념 ❺ (몇)×(몇십몇)

● 9×23의 계산

```
    2
      9
×   2 3
  2 0 7
```

일의 자리를 계산한 결과로 나온 27 중 20을 십의 자리로 올림하고 나머지 7을 일의 자리에 씁니다.

개념 ❻ (몇십몇)×(몇십몇)(1)

● 25×13의 계산 — 올림이 한 번 있음

```
  1
  2 5        2 5            2 5
× 1 3  ⇨  × 1 3   ⇨     × 1 3
  7 5        7 5            7 5  …25×3
             2 5 0          2 5 0  …25×10
                              ❹
```

개념 ❼ (몇십몇)×(몇십몇)(2)

● 53×29의 계산 — 올림이 여러 번 있음

```
  2
  5 3        5 3            5 3
× 2 9  ⇨  ×   2 9   ⇨   ×   2 9
  4 7 7      4 7 7          4 7 7  …53×9
             1 0 6 0        1 0 6 0  …53×20
                              ❺
```

개념 ❽ 곱셈의 활용

● 알뜰 장터에 판매 구역이 60개 있고, 한 판매 구역에서 학생 10명이 팔 수 있을 때 물건을 팔 수 있는 학생 수 구하기

$$60×10=600(명)$$

| 정답 | ❶ 6 ❷ 7 ❸ 600 ❹ 325 ❺ 1537

01 수 모형을 보고 ☐ 안에 알맞은 수를 써넣으세요.

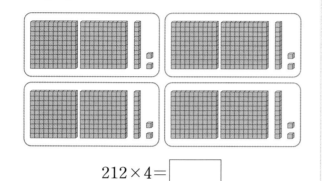

$$212 \times 4 = \boxed{}$$

[02~05] 계산해 보세요.

02
```
    1 3 2
  ×     3
```

03
```
    2 1 3
  ×     4
```

04 113×3

05 215×3

06 빈칸에 두 수의 곱을 써넣으세요.

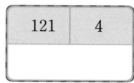

07 빈칸에 알맞은 수를 써넣으세요.

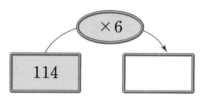

08 보기와 같이 계산해 보세요.

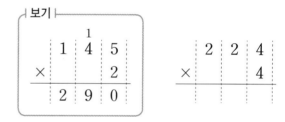

09 계산 결과가 더 큰 쪽에 ○표 하세요.

228×3 　 116×6

(　　　)　　　(　　　)

10 가장 큰 수와 가장 작은 수의 곱을 구하세요.

114　　124　　3

(　　　　　　　)

[01~02] □ 안에 알맞은 수를 써넣으세요.

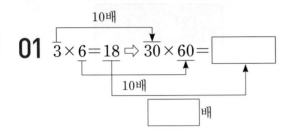

01

02

[03~06] 계산해 보세요.

03
$$\begin{array}{r} 2\ 5\ 3 \\ \times \quad\quad 3 \\ \hline \end{array}$$

04
$$\begin{array}{r} 3\ 4\ 1 \\ \times \quad\quad 4 \\ \hline \end{array}$$

05
$$\begin{array}{r} 4\ 0 \\ \times\ 2\ 0 \\ \hline \end{array}$$

06
$$\begin{array}{r} 4\ 2 \\ \times\ 6\ 0 \\ \hline \end{array}$$

07 빈칸에 알맞은 수를 써넣으세요.

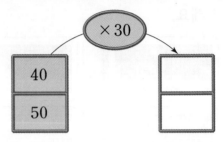

08 관계있는 것끼리 선으로 이으세요.

742×3 ·

· 2126

· 2226

421×6 ·

· 2526

09 두 수의 곱이 더 큰 쪽에 ○표 하세요.

60×50	80×30
( )	( )

10 계산 결과가 나머지 셋과 <u>다른</u> 것을 찾아 기호를 쓰세요.

㉠ 48×20	㉡ 32×30
㉢ 24×40	㉣ 51×20

( )

▶ (몇)×(몇십몇)
  ~ (몇십몇)×(몇십몇) ⑴

스피드 정답표 1쪽, 정답 및 풀이 15쪽

[01 ~ 02] □ 안에 알맞은 수를 써넣으세요.

01
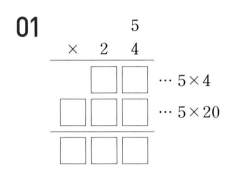

```
        5
    ×  2 4
    ┌─┬─┐
    │ │ │ … 5×4
    └─┴─┘
  ┌─┬─┬─┐
  │ │ │ │ … 5×20
  └─┴─┴─┘
  ┌─┬─┬─┐
  │ │ │ │
  └─┴─┴─┘
```

02
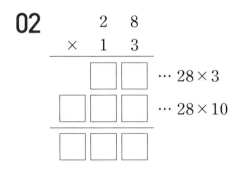

```
      2 8
    ×  1 3
    ┌─┬─┐
    │ │ │ … 28×3
    └─┴─┘
  ┌─┬─┬─┐
  │ │ │ │ … 28×10
  └─┴─┴─┘
  ┌─┬─┬─┐
  │ │ │ │
  └─┴─┴─┘
```

[03 ~ 05] 계산해 보세요.

03
```
      6
  × 3 4
```

04
```
    1 4
  × 2 7
```

05
```
    4 2
  × 1 3
```

06 빈칸에 알맞은 수를 써넣으세요.

8	32	

07 두 수의 곱을 구하세요.

16		31

(   )

08 계산에서 잘못된 부분을 찾아 바르게 계산해 보세요.

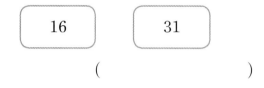

```
      5 3
    × 1 3
    ─────
    1 5 9
      5 3
    ─────
    2 1 2
```
⇨
```
      5 3
    × 1 3
```

09 계산 결과를 비교하여 ○ 안에 >, =, < 를 알맞게 써넣으세요.

4×82	○	7×43

10 24의 32배는 얼마일까요?

(   )

01 □ 안에 알맞은 수를 써넣으세요.

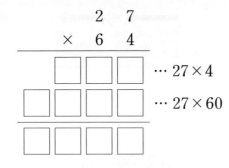

$$\begin{array}{r} 2\ 7 \\ \times\ 6\ 4 \\ \hline \square\,\square\,\square \quad \cdots\ 27 \times 4 \\ \square\,\square\,\square \quad \cdots\ 27 \times 60 \\ \hline \square\,\square\,\square\,\square \end{array}$$

[02~04] 계산해 보세요.

02
$$\begin{array}{r} 1\ 8 \\ \times\ 3\ 7 \\ \hline \end{array}$$

03
$$\begin{array}{r} 4\ 2 \\ \times\ 3\ 4 \\ \hline \end{array}$$

04
$$\begin{array}{r} 5\ 6 \\ \times\ 3\ 7 \\ \hline \end{array}$$

05 두 수의 곱을 구하세요.

| 42 | 65 |

( )

06 계산 결과를 비교하여 ○ 안에 >, =, < 를 알맞게 써넣으세요.

| 26 × 54 | ○ | 35 × 36 |

[07~08] 사탕이 한 봉지에 27개씩 들어 있습니다. 40봉지에 들어 있는 사탕은 모두 몇 개인지 구하려고 합니다. 물음에 답하세요.

07 40봉지에 들어 있는 사탕의 수를 구하는 곱셈식을 구하세요.

$$27 \times \square$$

08 40봉지에 들어 있는 사탕은 모두 몇 개일까요?

( )

09 연필 한 타는 12자루입니다. 연필 45타는 몇 자루일까요?

$$12 \times \square = \square \text{(자루)}$$

10 연정이는 한 개에 420원인 사탕을 7개 샀습니다. 연정이가 산 사탕의 값은 얼마일까요?

$$420 \times \square = \square \text{(원)}$$

스피드 정답표 1쪽, 정답 및 풀이 16쪽

01 수 모형을 보고 □ 안에 알맞은 수를 써넣으세요.

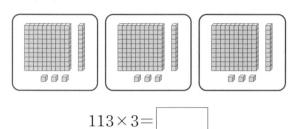

$$113 \times 3 = \boxed{}$$

02 □ 안에 알맞은 수를 써넣으세요.

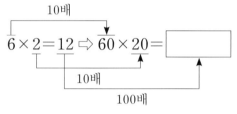

03 □ 안에 알맞은 수를 써넣어 4×43을 계산해 보세요.

$$
\begin{array}{r}
4 \\
\times \quad 4 \ 3 \\
\hline
\boxed{}\boxed{} \cdots 4 \times 3 \\
\boxed{}\boxed{}\boxed{} \cdots 4 \times 40 \\
\hline
\boxed{}\boxed{}\boxed{}
\end{array}
$$

04 □ 안에 알맞은 수를 써넣으세요.

$$25 \times 13 = 25 \times 10 + 25 \times 3$$
$$= \boxed{} + \boxed{}$$
$$= \boxed{}$$

[05~07] 계산해 보세요.

05
$$
\begin{array}{r}
2 \ 1 \ 5 \\
\times \quad\quad 4 \\
\hline
\end{array}
$$

06
$$
\begin{array}{r}
3 \ 6 \ 2 \\
\times \quad\quad 5 \\
\hline
\end{array}
$$

07 120×4

08 빈칸에 알맞은 수를 써넣으세요.

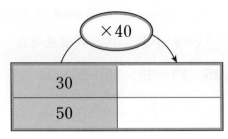

×40	
30	
50	

09 두 수의 곱을 구하세요.

8		65

( )

10 빈칸에 알맞은 수를 써넣으세요.

×	30	80
57		

11 두 수의 곱이 1440인 것에 ◯표 하세요.

23×80	26×90	24×60

( ) ( ) ( )

12 덧셈식을 곱셈식으로 나타내고 답을 구하세요.

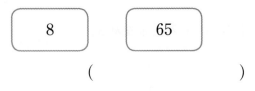

$$325 + 325 + 325 + 325$$

식 _____

답 _____

13 계산에서 잘못된 부분을 찾아 바르게 계산해 보세요.

```
  2 2 8
×     3
─────
  6 6 4
```
⇨
```
  2 2 8
×     3
```

14 계산 결과를 비교하여 ◯ 안에 >, =, <를 알맞게 써넣으세요.

35×42	◯	58×29

15 빈칸에 알맞은 수를 써넣으세요.

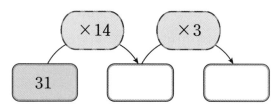

16 가장 큰 수와 가장 작은 수의 곱을 구하세요.

| 59 | 27 | 56 | 35 |

(   )

17 │보기│와 같이 계산 결과를 찾아 색칠해 보세요.

│보기│
124 × 2 = 248

| 130 × 4 | 221 × 3 | 341 × 5 |

1005	662	520
420	248	663
342	1705	1205

18 객실 한 칸에 좌석이 56개씩 있는 고속 열차가 있습니다. 이 고속 열차의 객실이 14칸이라면 좌석은 모두 몇 개 있을까요?

56 × ☐ = ☐ (개)

19 연필 한 자루의 가격은 350원입니다. 연필 7자루를 사려면 얼마가 필요할까요?

(   )

20 경아는 자전거로 1분에 425 m를 갑니다. 경아가 같은 빠르기로 9분 동안 자전거로 가는 거리는 몇 m일까요?

(   )

01 수 모형을 보고 □ 안에 알맞은 수를 써넣으세요.

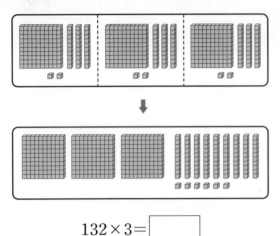

$132 \times 3 =$ ☐

02 □ 안에 알맞은 수를 써넣으세요.

$43 \times 30 =$ ☐ 0

$43 \times 3 =$ ☐

03 곱셈에서 $7 \times 6 = 42$의 4는 어느 자리에 써야 하는지 찾아 기호를 쓰세요.

```
      7  0
  ×   6  0
  ㉠  ㉡  ㉢  ㉣
```

(   )

04 □ 안에 알맞은 수를 써넣어 27×15를 계산해 보세요.

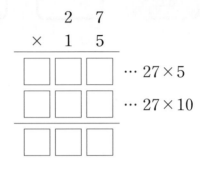

$\cdots 27 \times 5$
$\cdots 27 \times 10$

[05~07] 계산해 보세요.

05
```
    5 1 2
  ×     8
```

06
```
    4 5
  × 4 8
```

07 5×23

08 빈칸에 두 수의 곱을 써넣으세요.

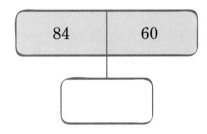

09 보기와 같이 계산해 보세요.

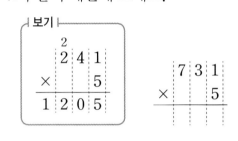

10 빈칸에 알맞은 수를 써넣으세요.

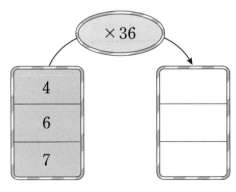

11 관계있는 것끼리 선으로 이으세요.

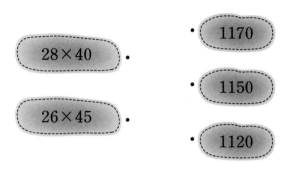

12 계산 결과가 옳은 것에 ○표 하세요.

$241 \times 6 = 1246$ (   )

$15 \times 48 = 720$ (   )

$151 \times 8 = 908$ (   )

13 계산이 잘못된 곳을 찾아 바르게 계산해 보세요.

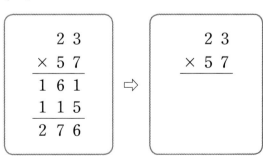

14 곱의 크기를 비교하여 ○ 안에 >, =, < 를 알맞게 써넣으세요.

$$218 \times 5 \quad \bigcirc \quad 315 \times 3$$

15 □ 안에 알맞은 수를 써넣으세요.

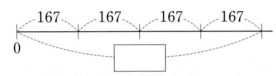

16 계산 결과가 큰 것부터 차례대로 기호를 쓰세요.

> ㉠ 425×4
> ㉡ 726×2
> ㉢ 385×5

(   )

17 감자 한 개의 가격은 183원입니다. 감자 6 개의 가격은 얼마일까요?

(   )

18 □ 안에 알맞은 수를 써넣으세요.

$$\begin{array}{r} 7\ 4\ \boxed{} \\ \times \qquad 8 \\ \hline 5\ 9\ 4\ 4 \end{array}$$

19 초콜릿이 한 상자에 12개씩 들어 있습니다. 상자 49개에 들어 있는 초콜릿은 모두 몇 개일까요?

식 _____

답 _____

20 민영이는 문구점에서 390원짜리 연필 7자루를 사고 3000원을 냈습니다. 민영이가 받을 거스름돈은 얼마일까요?

(   )

스피드 정답표 1쪽, 정답 및 풀이 17쪽

01 □ 안에 알맞은 수를 써넣어 226×3을 계산해 보세요.

```
      2  2  6
   ×        3
   ─────────────
         1  8  …  □ ×3
      □  □      …  □ ×3
   6  0  0      …  200×3
   ─────────────
   □  □  □
```

[02~03] □ 안에 알맞은 수를 써넣으세요.

02 6×8= □ ⇨ 60×80= □

100배

03
```
      1  4
   ×  2  8
   ─────────
   1  1  2  …  14× □
      □        …  14× □
   ─────────
      □
```

[04~06] 계산해 보세요.

04
```
      5  9  7
   ×        8
```

05
```
         7
   ×  2  9
```

06 274×5

07 곱셈에서 ㉠은 실제 이떤 두 수의 곱일까요? ………………………( )

```
         5  7
   ×     2  3
   ────────────
      1  7  1
   1  1  4  0  …… ㉠
   ────────────
   1  3  1  1
```

① 57×3　　② 57×2
③ 23×5　　④ 57×20
⑤ 23×50

08 빈칸에 알맞은 수를 써넣으세요.

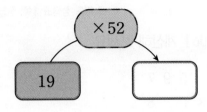

×52

19

09 바르게 계산한 것의 기호를 쓰세요.

```
㉠    2 4       ㉡    3 4 2
   × 7 0          ×     3
   1 6 8          1 0 2 6
```

(   )

10 곱이 <u>다른</u> 하나를 찾아 기호를 쓰세요.

㉠ 34×25   ㉡ 85×10   ㉢ 172×5

(   )

11 곱이 더 큰 것에 ○표 하세요.

```
   7 2            4 2 7
 × 4 4          ×     7
```

(   )   (   )

12 빈칸에 알맞은 수를 써넣으세요.

⊗		
18	60	1080
69	34	

13 가장 작은 수와 가장 큰 수의 곱을 구하세요.

7	53	48	6	14

(   )

14 야구공이 한 상자에 128개씩 4상자 있습니다. 야구공이 모두 몇 개 있는지 덧셈식과 곱셈식을 각각 쓰세요.

덧셈식 _____

곱셈식 _____

15 한 개의 길이가 20 cm인 똑같은 색 테이프 30개를 겹치지 않게 한 줄로 길게 이어 붙이면 색 테이프 전체의 길이는 몇 cm가 될까요?

( )

16 □ 안에 알맞은 수를 구하세요.

$$□ \times 10 = 14 \times 55$$

( )

━ 서술형

17 정사각형의 네 변의 길이의 합은 몇 cm인지 풀이 과정을 쓰고 답을 구하세요.

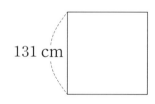

131 cm

풀이

답 _____

18 싱가포르에 다녀오신 삼촌께서는 우현이에게 싱가포르 돈 6달러를 용돈으로 주셨습니다. 우현이가 은행에 간 날 싱가포르 돈 1달러는 우리나라 돈 815원과 같았습니다. 우현이가 받은 용돈은 우리나라 돈으로 얼마일까요?

| 싱가포르 돈 1달러 | = | 우리나라 돈 815원 |

( )

19 ㉠과 ㉡에 알맞은 숫자를 각각 구하세요.

```
    ㉠ 2 ㉡
  ×     6
─────────
  1 9 5 6
```

㉠ ( )
㉡ ( )

20 수 카드 4 , 6 , 7 을 한 번씩만 사용하여 계산 결과가 가장 큰 곱셈식을 만들려고 합니다. □ 안에 알맞은 수를 써넣으세요.

□□ × 5□

난이도 Ⓐ Ⓑ Ⓒ

스피드 정답표 2쪽, 정답 및 풀이 18쪽

[01~02] □ 안에 알맞은 수를 써넣으세요.

01

```
    3  1  2
  ×       3
  ─────────
  [ ]          … 2×3
  [ ][ ]       … 10×3
  9  0  0      … 300×3
  ─────────
  [ ][ ][ ]
```

02 $24 \times 17 = 24 \times 10 + 24 \times 7$

$= \boxed{} + \boxed{}$

$= \boxed{}$

03 계산에서 □ 안의 숫자 1이 실제로 나타내는 수는 얼마일까요?

```
    1
    3  6  4
  ×       2
  ─────────
    7  2  8
```

(   )

[04~05] 계산해 보세요.

04

```
    6  3
  × 7  0
```

05

```
    3  5  1
  ×       9
```

06 빈칸에 알맞은 수를 써넣으세요.

70 ➡ ×80 ➡ [   ]

07 빈칸에 두 수의 곱을 써넣으세요.

38	47

08 곱이 <u>다른</u> 하나를 찾아 ○표 하세요.

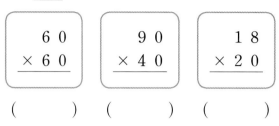

	6 0			9 0			1 8
×	6 0		×	4 0		×	2 0

(   ) (   ) (   )

09 곱의 크기를 비교하여 ○ 안에 >, =, < 를 알맞게 써넣으세요.

$$623 \times 5 \quad \bigcirc \quad 38 \times 74$$

10 빈칸에 알맞은 수를 써넣으세요.

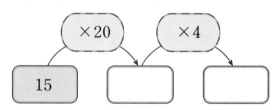

11 덧셈식을 곱셈식으로 나타내고 답을 구하세요.

$$361 + 361 + 361 + 361 + 361$$

식 _____

답 _____

12 사다리 타기를 하여 빈칸에 알맞은 계산 결과를 써넣으세요.

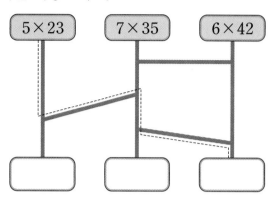

13 빈칸에 알맞은 수를 써넣으세요.

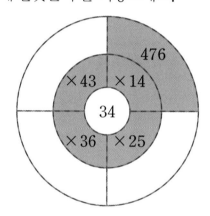

14 한 시간에 장난감을 60개씩 만드는 공장이 있습니다. 이 공장에서 20시간 동안 만들 수 있는 장난감은 모두 몇 개일까요?

식 _____

답 _____

15 귤이 한 상자에 132개씩 들어 있습니다. 3 상자에 들어 있는 귤은 모두 몇 개일까요?

( )

16 진수네 학교의 3학년 학생 수는 264명입니다. 3학년 학생 모두에게 연필을 5자루씩 나누어 주려면 필요한 연필은 몇 자루일까요?

( )

17 1부터 9까지의 수 중에서 □ 안에 들어갈 수 있는 가장 큰 자연수는 얼마일까요?

$$4 \times 28 > \square \times 32$$

( )

18 □ 안에 알맞은 수를 써넣으세요.

$$\begin{array}{r} \square \\ \times\ \boxed{}\ 2 \\ \hline 2\ 4\ 8 \end{array}$$

19 혜미 아버지의 지난달 문자 사용 내역입니다. 일반 문자 요금은 1건에 22원, 그림 문자 요금은 1건에 33원입니다. 혜미 아버지가 사용한 문자 요금은 모두 얼마일까요?

내역	사용량
일반 문자	30건
그림 문자	18건

( )

서술형

20 수업 준비물로 색종이를 한 명에게 4묶음씩 주려고 합니다. 4개 반에 색종이를 준다면 모두 몇 묶음 필요한지 풀이 과정을 쓰고 답을 구하세요.

반	1	2	3	4
학생 수(명)	28	29	29	28

풀이

답 _____

01 수 모형을 보고 □ 안에 알맞은 수를 써넣으세요.

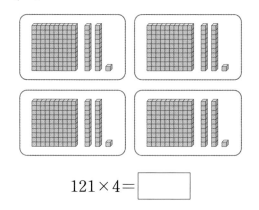

$$121 \times 4 = \boxed{}$$

02 □ 안에 알맞은 수를 써넣으세요.

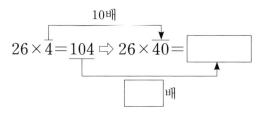

[03~04] 계산해 보세요.

03
  5 1 6
×   3

04
  3 8
× 7 6

05 색칠된 부분은 실제 어떤 수의 곱인지 찾아 ○표 하세요.

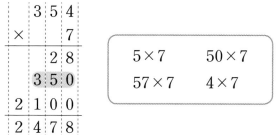

06 빈칸에 알맞은 수를 써넣으세요.

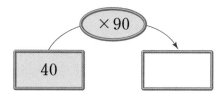

07 빈칸에 두 수의 곱을 써넣으세요.

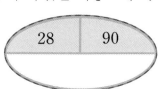

08 관계있는 것끼리 선으로 이으세요.

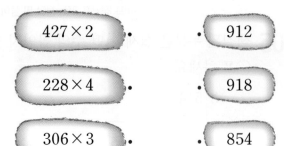

427×2 •	• 912
228×4 •	• 918
306×3 •	• 854

09 계산 결과를 비교하여 ○ 안에 >, =, < 를 알맞게 써넣으세요.

5×49	○	7×32

10 가장 작은 수와 가장 큰 수의 곱을 구하세요.

74	28	12	37	62

( )

11 계산 결과가 큰 것부터 차례대로 기호를 쓰세요.

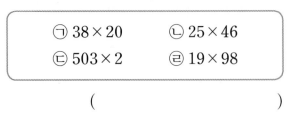

㉠ 38×20	㉡ 25×46
㉢ 503×2	㉣ 19×98

( )

12 계산에서 잘못된 부분을 찾아 바르게 계산해 보세요.

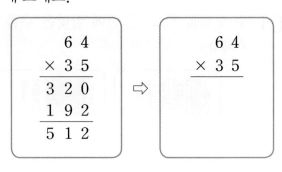

```
    6 4
  × 3 5
  ─────
  3 2 0
  1 9 2
  ─────
  5 1 2
```
⇨
```
    6 4
  × 3 5
```

13 □ 안에 들어갈 수 있는 자연수 중에서 가장 작은 수를 구하세요.

□3×11>500

( )

> 서술형

14 다음은 한 변의 길이가 36 cm인 정사각형 4개를 붙여 놓은 것입니다. 굵은 선의 길이는 모두 몇 cm인지 풀이 과정을 쓰고 답을 구하세요.

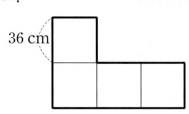

36 cm

풀이

답 _____

15 민정이는 선물 한 개를 포장하는 데 끈을 69 cm씩 사용합니다. 선물 42개를 포장하려면 끈은 적어도 몇 cm가 필요할까요?

( )

16 색칠된 모눈의 수를 곱셈식으로 나타내고 그 곱을 구하세요.

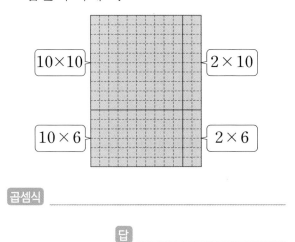

곱셈식 _____

답 _____

17 한 장의 길이가 20 cm인 색 테이프 14장을 5 cm씩 겹쳐서 이어 붙이려고 합니다. 14장을 이어 붙인 색 테이프의 전체 길이는 몇 cm일까요?

( )

18 3장의 수 카드를 한 번씩 사용하여 곱이 가장 큰 곱셈식을 만들어 보세요.

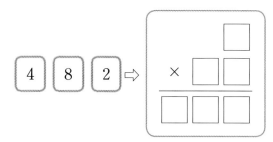

19 명수는 1분에 59걸음을 걷습니다. 명수가 같은 빠르기로 1시간 24분 동안 걷는다면 몇 걸음을 걷게 될까요?

( )

서술형
20 어떤 수에 26을 곱해야 할 것을 잘못하여 더했더니 122가 되었습니다. 바르게 계산한 값은 얼마인지 풀이 과정을 쓰고 답을 구하세요.

풀이

답 _____

01 영규는 3주일 동안 매일 20개씩 줄넘기를 했습니다. 영규는 3주일 동안 줄넘기를 모두 몇 개 하였는지 구하세요.

❶ 3주일은 며칠일까요?

일주일은 7일이므로 3주일은 $3 \times \boxed{} = \boxed{}$ (일)입니다.

(   )

❷ 영규는 3주일 동안 줄넘기를 모두 몇 개 하였을까요?

(   )

02 한 상자에 124개씩 들어 있는 귤 5상자와 한 상자에 16개씩 들어 있는 사과 25상자가 있습니다. 귤과 사과는 모두 몇 개인지 구하세요.

❶ 5상자에 들어 있는 귤은 모두 몇 개일까요?

$$124 \times \boxed{} = \boxed{} \text{(개)}$$

(   )

❷ 25상자에 들어 있는 사과는 모두 몇 개일까요?

$$16 \times \boxed{} = \boxed{} \text{(개)}$$

(   )

❸ 귤과 사과는 모두 몇 개일까요?

(   )

03 어떤 수에 35를 곱해야 할 것을 잘못하여 더했더니 52가 되었습니다. 바르게 계산한 값을 구하세요.

❶ 어떤 수를 □라 하여 잘못 계산한 식을 쓰세요.

식 _____

❷ 어떤 수는 얼마일까요?

(   )

❸ 바르게 계산한 값은 얼마일까요?

(   )

04 주원이는 가지고 있는 4장의 수 카드 중에서 2장을 한 번씩 사용하여 가장 큰 두 자리 수를 만들고, 나머지 2장으로 가장 작은 두 자리 수를 만들었습니다. 만든 두 수를 곱하면 얼마인지 구하세요.

1		8		5		2

❶ 주원이가 만든 가장 큰 두 자리 수를 구하세요.

(   )

❷ ❶에서 사용하고 남은 2장의 수 카드로 만든 가장 작은 두 자리 수를 구하세요.

(   )

❸ 주원이가 만든 두 수의 곱을 구하세요.

(   )

1

곱셈

1단원 서술형평가 곱셈

01 희영이는 2주일 동안 매일 30개씩 윗몸일으키기를 했습니다. 희영이가 2주일 동안 윗몸일으키기를 모두 몇 개 하였는지 풀이 과정을 쓰고 답을 구하세요.

풀이

어떻게 풀까요?

· 1주일은 7일이므로 2주일이 며칠인지 먼저 구해 30을 곱하여 2주일 동안 한 윗몸일으키기의 수를 구합니다.

답 _____

02 한 상자에 128개씩 들어 있는 귤 4상자와 한 상자에 18개씩 들어 있는 배가 27상자 있습니다. 귤과 배는 모두 몇 개인지 풀이 과정을 쓰고 답을 구하세요.

풀이

어떻게 풀까요?

· 곱셈을 이용하여 4상자에 들어 있는 귤의 수와 27상자에 들어 있는 배의 수를 각각 구한 후 더합니다.

답 _____

03 어떤 수에 26을 곱해야 할 것을 잘못하여 뺐더니 35가 되었습니다. 바르게 계산한 값은 얼마인지 풀이 과정을 쓰고 답을 구하세요.

풀이

어떻게 풀까요?

· 어떤 수를 □로 하여 잘못 계산한 식을 만들어 어떤 수를 구한 후 바르게 계산한 값을 구합니다.

답 _____

04 유미는 가지고 있는 4장의 수 카드 중에서 2장을 한 번씩 사용하여 가장 큰 두 자리 수를 만들고, 나머지 2장으로 가장 작은 두 자리 수를 만들었습니다. 만든 두 수를 곱하면 얼마인지 풀이 과정을 쓰고 답을 구하세요.

| 2 | 5 | 7 | 3 |

풀이

어떻게 풀까요?

· 가장 큰 두 자리 수는 높은 자리부터 큰 수를 차례대로 놓고, 가장 작은 두 자리 수는 십의 자리에 가장 작은 수를 놓아 두 수의 곱을 구합니다.

1 곱셈

답 _____

05 1부터 9까지의 자연수 중에서 □ 안에 들어갈 수 있는 수는 모두 몇 개인지 풀이 과정을 쓰고 답을 구하세요.

$$42 \times 51 < 37 \times \square 4$$

풀이

어떻게 풀까요?

· □ 안에 1부터 9까지의 수를 차례대로 넣어 계산하여 42×51의 값과 비교하여 봅니다.

답 _____

• 스피드 정답표 **2쪽**, 정답 및 풀이 **20쪽**

오답률 54%

01 15×60을 다음과 같이 계산하였습니다. □ 안에 알맞은 수를 써넣으세요.

$$15 \times 60 = 15 \times \boxed{} \times 10$$
$$= \boxed{} \times 10 = \boxed{}$$

오답률 57%

02 은주는 수영을 매일 50분씩 합니다. 은주는 7월 한 달 동안 수영을 모두 몇 분 하게 될까요?

( )

오답률 59%

03 수현이네 학교에서 운동회 기념 선물로 전교생에게 연필을 한 자루씩 나누어 주려고 합니다. 각 학년의 학급 수는 다음과 같고, 각 반의 학생 수는 23명씩입니다. 연필은 모두 몇 자루를 준비해야 할까요?

학년	1	2	3	4	5	6	합계
학급 수(반)	3	4	4	5	6	4	26

( )

오답률 65%

04 어떤 수에 36을 곱해야 하는데 잘못하여 36을 뺐더니 17이 되었습니다. 바르게 계산한 값은 얼마일까요?

( )

오답률 72%

05 □ 안에 들어갈 수 있는 수 중에서 가장 작은 수를 구하세요.

$$64 \times \boxed{}0 > 3500$$

( )

2 나눗셈

개념 ① 내림이 없는 (몇십)÷(몇)

● 60÷3의 계산

10배

$$6÷3=2 \Rightarrow 60÷3=20$$

10배

개념 ② 내림이 있는 (몇십)÷(몇)

● 60÷4의 계산

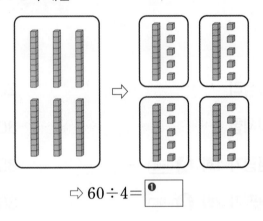

$$\Rightarrow 60÷4= \boxed{❶}$$

개념 ③ 나머지가 없는 (몇십몇)÷(몇)

● 나눗셈식을 세로로 쓰는 방법

$$36÷3=12 \Rightarrow 3\overline{)36}^{\,12}$$

● 36÷3의 계산

$$\begin{array}{r} 1 \\ 3\overline{)36} \\ 3 \\ \hline 0 \end{array} \Rightarrow \begin{array}{r} 1 \\ 3\overline{)36} \\ 3 \\ \hline 6 \end{array} \Rightarrow \begin{array}{r} \boxed{❷} \\ 3\overline{)36} \\ 3 \\ \hline 6 \\ 6 \\ \hline 0 \end{array}$$

3 나누기 3의 몫은 1,
3 곱하기 1은 3,
3 빼기 3은 0

6은 그대로 내려 쓰고

6 나누기 3의 몫은 2,
3 곱하기 2는 6,
6 빼기 6은 0

개념 ④ 내림이 있고 나머지가 없는 (몇십몇)÷(몇)

● 48÷3의 계산

$$\begin{array}{r} 16 \\ 3\overline{)48} \\ 3 \\ \hline 18 \\ 18 \\ \hline \boxed{❸} \end{array}$$

48÷3의 몫은 16이고 나머지는 0입니다.
나머지가 0일 때, 나누어떨어진다고 합니다.

개념 ⑤ 나머지가 있는 (몇십몇)÷(몇)

● 19÷5의 계산

$$\begin{array}{r} 3 \leftarrow 몫 \\ 5\overline{)19} \\ 15 \\ \hline 4 \leftarrow 나머지 \end{array} \Rightarrow 19÷5=3\cdots4$$

몫 나머지

19를 5로 나누면 몫은 3이고 4가 남습니다.
이때 4를 19÷5의 나머지라고 합니다.

$$19÷5=3\cdots4$$

개념 ⑥ 내림이 있고 나머지가 있는 (몇십몇)÷(몇)

● 47÷3의 계산

$$\begin{array}{r} 15 \\ 3\overline{)47} \\ 3 \\ \hline 17 \\ 15 \\ \hline \boxed{❹} \end{array} \leftarrow 나머지는 나누는 수보다 항상 작습니다.$$

| 정답 | ❶ 15 ❷ 12 ❸ 0 ❹ 2

개념 ⑦ 나머지가 없는 (세 자리 수)÷(한 자리 수)

● 300÷3의 계산

$$
\begin{array}{r}
1 \\
3{\overline{\smash{\big)}\,300}} \\
\underline{3} \\
0
\end{array}
\Rightarrow
\begin{array}{r}
10 \\
3{\overline{\smash{\big)}\,300}} \\
\underline{3} \\
0
\end{array}
\Rightarrow
\begin{array}{r}
100 \\
3{\overline{\smash{\big)}\,300}} \\
\underline{3} \\
0
\end{array}
$$

3 나누기   3 곱하기 1은 3   0은 그대로
3의 몫은 1   3 빼기 3은 0   내려 쓰기

● 560÷4의 계산

$$
\begin{array}{r}
1 \\
4{\overline{\smash{\big)}\,560}} \\
\underline{4} \\
1
\end{array}
\Rightarrow
\begin{array}{r}
14 \\
4{\overline{\smash{\big)}\,560}} \\
\underline{4} \\
16 \\
\underline{16} \\
0
\end{array}
\Rightarrow
\begin{array}{r}
140 \\
4{\overline{\smash{\big)}\,560}} \\
\underline{4} \\
16 \\
\underline{16} \\
0
\end{array}
$$

5 나누기 4의   6은 그대로 내려   0은 그대로
몫은 1,   쓰고, 16 나누기   내려 쓰기
4 곱하기 1은 4, 4의 몫은 4,
5 빼기 4는 1   4 곱하기 4는 16,
        16 빼기 16은 0

● 275÷5의 계산

$$
\begin{array}{r}
\\
5{\overline{\smash{\big)}\,275}}
\end{array}
\Rightarrow
\begin{array}{r}
5 \\
5{\overline{\smash{\big)}\,275}} \\
\underline{25} \\
2
\end{array}
\Rightarrow
\begin{array}{r}
55 \\
5{\overline{\smash{\big)}\,275}} \\
\underline{25} \\
25 \\
\underline{25} \\
0
\end{array}
$$

> 백의 자리에서는
> 나누지 못합니다.

개념 ⑧ 나머지가 있는 (세 자리 수)÷(한 자리 수)

● 405÷4의 계산

$$
\begin{array}{r}
1 \\
4{\overline{\smash{\big)}\,405}} \\
\underline{4} \\
0
\end{array}
\Rightarrow
\begin{array}{r}
10 \\
4{\overline{\smash{\big)}\,405}} \\
\underline{4} \\
0
\end{array}
\Rightarrow
\begin{array}{r}
101 \\
4{\overline{\smash{\big)}\,405}} \\
\underline{4} \\
5 \\
\underline{4} \\
\boxed{\text{⑤}}
\end{array}
$$

4 나누기 4의   0은 그대로   5는 그대로 내려 쓰고,
몫은 1,   내려 쓰기   5 나누기 4의 몫은 1,
4 곱하기 1은 4,   4 곱하기 1은 4,
4 빼기 4는 0   5 빼기 4는 1,
            나머지는 1

● 124÷3의 계산

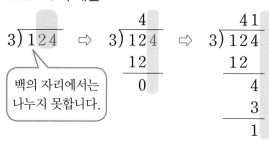

$$
3{\overline{\smash{\big)}\,124}}
\Rightarrow
\begin{array}{r}
4 \\
3{\overline{\smash{\big)}\,124}} \\
\underline{12} \\
0
\end{array}
\Rightarrow
\begin{array}{r}
41 \\
3{\overline{\smash{\big)}\,124}} \\
\underline{12} \\
4 \\
\underline{3} \\
1
\end{array}
$$

> 백의 자리에서는
> 나누지 못합니다.

12 나누기 3의   4는 그대로 내려 쓰고,
몫은 4,   4 나누기 3의 몫은 1,
3 곱하기 4는 12,   3 곱하기 1은 3,
12 빼기 12는 0   4 빼기 3은 1,
           나머지는 1

● 289÷3의 계산

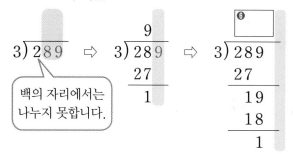

$$
3{\overline{\smash{\big)}\,289}}
\Rightarrow
\begin{array}{r}
9 \\
3{\overline{\smash{\big)}\,289}} \\
\underline{27} \\
1
\end{array}
\Rightarrow
\begin{array}{r}
\boxed{\text{⑥}} \\
3{\overline{\smash{\big)}\,289}} \\
\underline{27} \\
19 \\
\underline{18} \\
1
\end{array}
$$

> 백의 자리에서는
> 나누지 못합니다.

28 나누기 3의   9는 그대로 내려 쓰고,
몫은 9,   19 나누기 3의 몫은 6,
3 곱하기 9는 27,   3 곱하기 6은 18,
28 빼기 27은 1,   19 빼기 18은 1,
           나머지는 1

개념 ⑨ 맞게 계산했는지 확인하기

● 16÷5를 계산하고 맞게 계산했는지 확인하기

$$16÷5=3 \cdots 1$$

$$5×3=15 \Rightarrow 15+1=16$$

나누는 수와 몫의 곱에 나머지를 더하면 나누어지는 수가 되어야 합니다.

예 32÷5

몫 ⑦ , 나머지 ⑧

확인 $5×6=30 \Rightarrow 30+2=32$

나누는 수   몫   나머지   나누어지는 수

| 정답 | ⑤ 1 ⑥ 96 ⑦ 6 ⑧ 2

[01~02] 수 모형을 보고 □ 안에 알맞은 수를 써 넣으세요.

01

$80 \div 4 = \boxed{}$

02

$30 \div 2 = \boxed{}$

[03~04] □ 안에 알맞은 수를 써넣으세요.

03

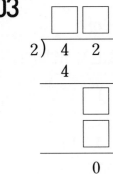

04

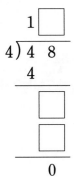

[05~06] 계산해 보세요.

05 $5 \overline{)60}$

06 $3 \overline{)93}$

07 몫이 가장 큰 것을 찾아 ○표 하세요.

$$80 \div 2 \qquad 90 \div 3 \qquad 50 \div 5$$

08 빈칸에 알맞은 수를 써넣으세요.

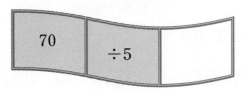

| 70 | ÷5 | |

09 관계있는 것끼리 선으로 이으세요.

$55 \div 5$ ·

$60 \div 4$ ·

· 11

· 13

· 15

10 몫의 크기를 비교하여 ○ 안에 >, =, < 를 알맞게 써넣으세요.

$69 \div 3$ $46 \div 2$

▶ 내림이 있고 나머지가 없는 (몇십몇)÷(몇)
  ~ 내림이 있고 나머지가 있는 (몇십몇)÷(몇)

스피드 정답표 3쪽, 정답 및 풀이 21쪽

01 나눗셈식을 보고 □ 안에 알맞은 말을 써넣으세요.

$$21 \div 5 = 4 \cdots 1$$

21을 5로 나누면 □은(는) 4이고 1이 남습니다. 이때 1을 21÷5의 □(이)라고 합니다.

[02~03] □ 안에 알맞은 수를 써넣으세요.

02

```
      1 □
  3 ) 5 4
      3
      2 4
    □ □
      □
```

03

```
      1 □
  4 ) 7 3
      4
      3 □
    □ □
      □
```

[04~05] 계산해 보세요.

04
```
7 ) 4 4
```

05
```
4 ) 5 9
```

06 큰 수를 작은 수로 나눈 몫을 빈칸에 써넣으세요.

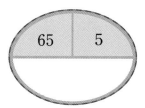

65 | 5

07 나눗셈을 하여 □ 안에 몫을 써넣고, ○ 안에 나머지를 써넣으세요.

63 | ÷4 | | ○

08 몫이 더 큰 쪽에 ○표 하세요.

| 38÷2 | 78÷6 |
| ( ) | ( ) |

09 나눗셈의 나머지를 찾아 선으로 이으세요.

17÷5   35÷8

2   3   4

10 나눗셈의 몫과 나머지의 합을 구하세요.

92÷5

( )

▶ 나머지가 없는 (세 자리 수)÷(한 자리 수)
~ 맞게 계산했는지 확인하기

스피드 정답표 3쪽, 정답 및 풀이 21쪽

[01 ~ 02] □ 안에 알맞은 수를 써넣으세요.

01

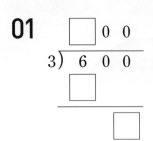

```
      □ 0 0
3 )  6 0 0
     □
    ────
      □
```

02

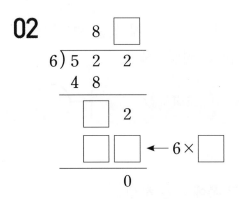

```
        8 □
6 ) 5 2 2
    4 8
   ──────
      □ 2
      □ □  ← 6×□
   ──────
        0
```

[03 ~ 04] 계산해 보세요.

03 4) 7 9 2

04 3) 4 6 9

05 □÷5에서 나머지가 될 수 있는 수를 모두 찾아 ○표 하세요.

2	3	4	5	6	7

06 빈칸에 나눗셈의 몫을 써넣으세요.

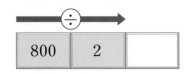

```
        ÷
 →    2    →
800   2   
```

07 나눗셈을 하여 몫과 나머지를 구하세요.

5) 5 1 4

몫 (   )

나머지 (   )

08 혜주는 185쪽짜리 동화책을 5일 동안 똑같이 나누어 읽으려고 합니다. 동화책을 하루에 몇 쪽씩 읽어야 할까요?

185÷□=□ (쪽)

09 초콜릿이 177개가 있습니다. 이 초콜릿을 한 명에게 5개씩 나누어 줄 때 몇 명까지 나누어 주고 몇 개가 남을까요?

177÷5=□…□

⇨ □ 명까지 나누어 주고 □ 개가 남습니다.

10 나눗셈을 계산하고 확인해 보세요.

146÷8=□…□

확인 8×□=□

⇨ □+□=146

단원평가 1회

나눗셈

점수

스피드 정답표 3쪽, 정답 및 풀이 22쪽

01 그림을 보고 □ 안에 알맞은 수를 써넣으세요.

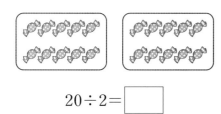

$$20 \div 2 = \boxed{}$$

02 나눗셈식을 세로로 나타내려고 합니다. □ 안에 알맞은 수를 써넣으세요.

$$84 \div 4 = 21 \Rightarrow \boxed{}) \boxed{}\boxed{}$$

03 나눗셈식을 보고 맞게 계산했는지 확인하려고 합니다. □ 안에 알맞은 수를 써넣으세요.

$$65 \div 2 = 32 \cdots 1$$

확인 $2 \times \boxed{} = \boxed{} \Rightarrow \boxed{} + 1 = 65$

[04 ~ 05] □ 안에 알맞은 수를 써넣으세요.

04

$$3) \overline{6 \ 9} \Rightarrow 3) \overline{\begin{array}{cc} 6 & 9 \\ 6 & \end{array}} \Rightarrow 3) \overline{\begin{array}{cc} 6 & 9 \\ 6 & \\ \hline & 9 \end{array}}$$

05

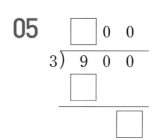

[06 ~ 07] 계산해 보세요.

06 $4) \overline{6 0}$

07 $2) \overline{8 6}$

08 나눗셈의 몫과 나머지를 각각 구하세요.

$$3 \overline{)445}$$

몫 (   )

나머지 (   )

09 빈칸에 알맞은 수를 써넣으세요.

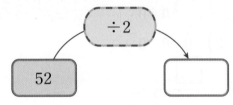

10 다음 중 어떤 수를 7로 나누었을 때, 나머지가 될 수 없는 수는 어느 것일까요? (   )

① 1   ② 2   ③ 4

④ 6   ⑤ 7

11 계산이 <u>잘못된</u> 곳을 찾아 바르게 계산해 보세요.

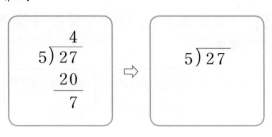

12 몫의 크기를 비교하여 ○ 안에 >, =, < 를 알맞게 써넣으세요.

$64 \div 4$ ○ $85 \div 5$

13 나누어떨어지는 나눗셈을 찾아 ○표 하세요.

$86 \div 3$ $70 \div 2$ $69 \div 7$

(   )   (   )   (   )

14 나눗셈의 몫을 찾아 선으로 이으세요.

$195 \div 3$ •
     • 63

     • 65

$288 \div 4$ •
     • 72

15 나머지가 가장 큰 것을 찾아 기호를 쓰세요.

> ㉠ 534÷5
> ㉡ 463÷3
> ㉢ 610÷4

(   )

16 나머지가 4가 될 수 <u>없는</u> 식에 ○표 하세요.

> □÷5   □÷7
> □÷4   □÷9

17 6으로 나누었을 때 나누어떨어지는 수를 찾아 기호를 쓰세요.

> ㉠ 27   ㉡ 32
> ㉢ 42   ㉣ 607

(   )

18 진우네 학교 3학년은 1반부터 5반까지 있습니다. 선생님께서 풀 90개를 5개 반에 똑같이 나누어 주셨습니다. 한 반이 가지게 되는 풀은 몇 개일까요?

(   )

19 색종이 79장을 4명이 똑같이 나누어 가지려고 합니다. 한 명이 몇 장씩 가지게 되고 몇 장이 남을까요?

(   ), (   )

20 귤 252개를 6상자에 똑같이 나누어 담으려고 합니다. 한 상자에 귤을 몇 개씩 나누어 담을 수 있을까요?

(   )

스피드 정답표 3쪽, 정답 및 풀이 22쪽

01 수 모형을 보고 □ 안에 알맞은 수를 써넣으세요.

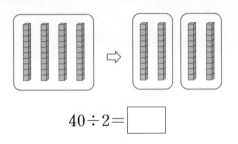

$$40 \div 2 = \boxed{}$$

02 □ 안에 알맞은 수를 써넣으세요.

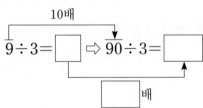

$$9 \div 3 = \boxed{} \Rightarrow 90 \div 3 = \boxed{}$$

10배

□ 배

03 나눗셈을 보고 빈칸에 몫과 나머지를 각각 써넣으세요.

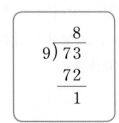

몫	
나머지	

04 □ 안에 알맞은 수를 써넣으세요.

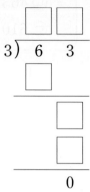

[05~06] 계산해 보세요.

05 $5 \overline{)90}$

06 $4 \overline{)540}$

07 나눗셈의 몫과 나머지를 각각 구하세요.

$$4 \overline{)98}$$

몫 (   )

나머지 (   )

08 큰 수를 작은 수로 나누어 빈칸에 몫을 써넣으세요.

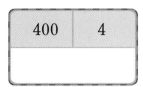

09 나눗셈을 하여 ☐ 안에 몫을 써넣고, ○ 안에 나머지를 써넣으세요.

10 다음 나눗셈에서 나올 수 <u>없는</u> 나머지는 어느 것일까요?··················· (   )

① 1   ② 2   ③ 3
④ 4   ⑤ 5

11 몫의 크기를 비교하여 ○ 안에 >, =, <를 알맞게 써넣으세요.

12 빈칸에 알맞은 수를 써넣으세요.

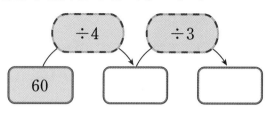

13 나머지가 가장 큰 것을 찾아 ○표 하세요.

26÷3	49÷6
37÷5	52÷7

14 가장 큰 수를 6으로 나눈 몫을 구하세요.

128	246	196

(   )

15 나누어떨어지는 나눗셈을 찾아 ☐ 안에 ○표 하세요.

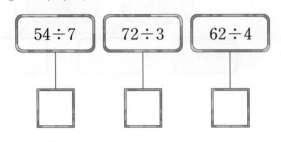

54÷7　　72÷3　　62÷4

16 다음 중 몫이 <u>다른</u> 하나는 어느 것일까요?
....(　　)

① 26÷2　　② 65÷5
③ 56÷4　　④ 39÷3
⑤ 91÷7

17 10원짜리 동전 123개를 3개의 저금통에 똑같이 넣으면 저금통 1개에 동전을 몇 개씩 넣을 수 있을까요?

123÷☐=☐(개)

18 달리기 선수가 9초 동안에 99 m를 달렸다면 1초에 몇 m씩 달린 셈일까요?

(　　　　　　)

19 구슬 74개가 있습니다. 한 봉지에 8개씩 담으면 모두 몇 봉지가 되고 몇 개가 남을까요?

(　　　　), (　　　　)

20 색종이 368장을 8명에게 똑같이 나누어 주려고 합니다. 한 명에게 몇 장씩 나누어 주어야 할까요?

(　　　　　　)

스피드 정답표 3쪽, 정답 및 풀이 23쪽

01 그림을 보고 □ 안에 알맞은 수를 써넣으세요.

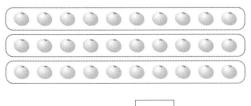

$$30 \div 3 = \boxed{}$$

02 □ 안에 알맞은 수를 써넣으세요.

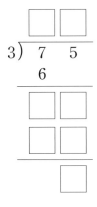

[03 ~ 04] 계산해 보세요.

03 $50 \div 5$

04 $48 \div 4$

05 나눗셈의 몫과 나머지를 각각 구하세요.

$$6 \overline{)74}$$

몫 (   )

나머지 (   )

06 큰 수를 작은 수로 나눈 몫을 빈칸에 써넣으세요.

07 빈칸에 알맞은 수를 써넣으세요.

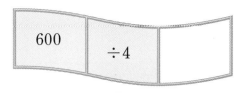

08 두 나눗셈의 몫의 합을 구하세요.

$$46 \div 2 \qquad 720 \div 6$$

(   )

09 다음 중 나머지가 5가 될 수 <u>없는</u> 식은 어느 것일까요? ·················· (   )

① □÷6   ② □÷7
③ □÷4   ④ □÷8
⑤ □÷9

10 다음 중 □ 안에 알맞은 수는 어느 것일까요? ·················· (   )

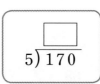

① 32   ② 33   ③ 34
④ 35   ⑤ 36

11 몫이 <u>다른</u> 하나를 찾아 ○표 하세요.

| 44÷4 | 80÷8 | 88÷8 |

(   ) (   ) (   )

12 나머지가 더 큰 것에 ○표 하세요.

| 453÷4 | 372÷5 |

(   )   (   )

13 몫이 가장 큰 것을 찾아 기호를 쓰세요.

㉠ 33÷3   ㉡ 42÷2
㉢ 60÷5   ㉣ 84÷6

(   )

14 몫이 같은 것끼리 선으로 이으세요.

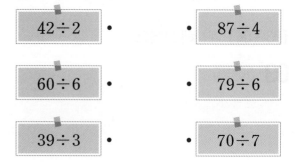

15 네 변의 길이의 합이 92 cm인 정사각형의 한 변은 몇 cm일까요?

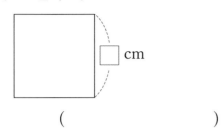

(   )

16 연필 288자루를 9명에게 똑같이 나누어 주려고 합니다. 한 명에게 몇 자루씩 나누어 주어야 할까요?

(   )

서술형

17 해인이는 길이가 9 cm인 색 테이프로 리본을 1개 만들었습니다. 색 테이프 87 cm로는 같은 크기의 리본을 몇 개까지 만들 수 있는지 풀이 과정을 쓰고 답을 구하세요.

풀이

답 _____

18 다음 나눗셈이 나누어떨어진다고 할 때, 0부터 9까지의 숫자 중에서 □ 안에 들어갈 수 있는 숫자를 모두 구하세요.

(   )

19 □ 안에 알맞은 숫자를 써넣으세요.

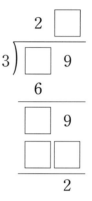

20 다음 수 카드를 한 번씩 사용하여 가장 큰 세 자리 수를 만든 다음 남은 수 카드의 수로 나누려고 합니다. 나눗셈식을 쓰고 계산해 보세요.

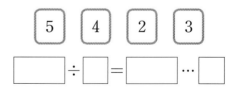

$$\boxed{} \div \boxed{} = \boxed{} \cdots \boxed{}$$

나눗셈

점수

스피드 정답표 3쪽, 정답 및 풀이 24쪽

01 □ 안에 알맞은 수를 써넣으세요.

$$6 \div 2 = \boxed{}$$

$$\Rightarrow 60 \div 2 = \boxed{}$$

02 □ 안에 알맞은 수를 써넣으세요.

$$6 \overline{\smash)\begin{array}{r} 1\ \boxed{\ }\ \boxed{\ } \\ 8\ 4\ 0 \\ \underline{6} \\ 2\ 4 \\ \boxed{\ }\ \boxed{\ } \\ \hline 0 \end{array}}$$

03 나눗셈식을 보고 몫과 나머지를 각각 구하세요.

$$38 \div 6 = 6 \cdots 2$$

몫 ( )

나머지 ( )

[04~05] 계산해 보세요.

04 $56 \div 4$

05 $60 \div 5$

06 큰 수를 작은 수로 나눈 몫을 빈칸에 써넣으세요.

2	36

07 나눗셈을 하고 맞게 계산했는지 확인해 보세요.

$$4 \overline{\smash)6\,0\,2}$$

확인 _____

08 다음 중 어떤 수를 8로 나누었을 때, 나머지가 될 수 <u>없는</u> 수는 어느 것일까요? (   )

① 1   ② 4   ③ 6
④ 8   ⑤ 7

09 몫의 크기를 비교하여 ○ 안에 >, =, < 를 알맞게 써넣으세요.

| 60÷4 | ○ | 70÷5 |

10 45÷2의 나눗셈을 할 때 가장 먼저 계산해야 하는 식에 ○표 하세요.

4÷5,   5÷2,   40÷2,   8÷2

11 빈칸에 알맞은 수를 써넣으세요.

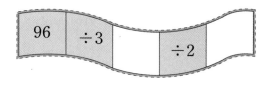

12 다음 중 7로 나누었을 때, 나누어떨어지지 <u>않는</u> 수는 어느 것일까요?……(   )

① 14   ② 35   ③ 91
④ 56   ⑤ 61

13 나머지가 가장 큰 것을 찾아 기호를 쓰세요.

| ㉠ 89÷4   ㉡ 78÷3   ㉢ 39÷8 |

(   )

14 채은이가 공책 64권을 4권씩 묶어서 한 사람에게 한 묶음씩 선물하려고 합니다. 모두 몇 명에게 선물할 수 있을까요?

(   )

15 □ 안에 알맞은 수를 구하세요.

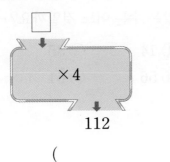

( )

16 공책 407권을 한 명에게 9권씩 나누어 주려고 합니다. 몇 명에게 나누어 줄 수 있고 몇 권이 남는지 구하세요.

( ), ( )

서술형

17 빵 70개를 남김없이 모두 접시에 담으려고 합니다. 한 접시에 빵을 4개씩 담을 수 있다면, 접시는 적어도 몇 개가 필요한지 풀이 과정을 쓰고 답을 구하세요.

18 나눗셈에서 ㉠에 들어갈 수 있는 두 자리 수 가장 큰 수를 구하세요.

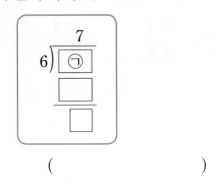

( )

19 오른쪽 나눗셈에서 ★에 알맞은 숫자를 구하세요.

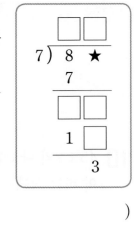

( )

20 체육시간에 102명이 짝 지어 모이는 놀이를 하였습니다. 처음에는 9명씩 짝 지어 모이기 놀이를 하고 짝 지은 학생들끼리 두 번째에는 5명씩 짝을 지었습니다. 두 번째에 짝을 못 짓고 남은 학생은 몇 명일까요?

( )

답 _____

스피드 정답표 4쪽, 정답 및 풀이 25쪽

01 나눗셈을 계산하고 세로로 나타내어 보세요.

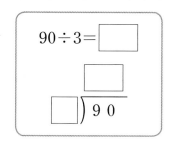

$$90 \div 3 = \boxed{}$$

02 □ 안에 알맞은 수를 써넣으세요.

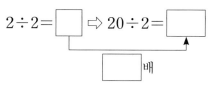

$$2 \div 2 = \boxed{} \Rightarrow 20 \div 2 = \boxed{}$$

$\boxed{}$ 배

[03 ~ 04] 계산해 보세요.

03 $7 \overline{)84}$

04 $5 \overline{)506}$

05 빈칸에 알맞은 수를 써넣으세요.

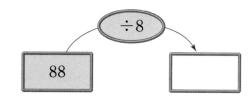

06 나눗셈의 몫과 나머지를 각각 구하세요.

$$3 \overline{)125}$$

몫 (   )
나머지 (   )

07 다음 중 어떤 수를 7로 나누었을 때, 나올 수 있는 나머지 중 가장 큰 수는 어느 것일까요?·····················(   )

① 1   ② 2   ③ 4
④ 6   ⑤ 7

08 몫의 크기를 비교하여 ○ 안에 >, =, < 를 알맞게 써넣으세요.

$66 \div 3$ $88 \div 4$

2 나눗셈

09 다음 중 4로 나누었을 때, 나누어떨어지는 수는 어느 것일까요? ·············· ( )

① 15　　② 26　　③ 38

④ 52　　⑤ 62

10 몫이 20보다 큰 나눗셈을 찾아 기호를 쓰세요.

| ㉠ 40÷4　　㉡ 90÷5 |
| ㉢ 24÷2　　㉣ 69÷3 |

( )

11 다음 중 나머지가 가장 큰 것은 어느 것일까요? ····························· ( )

① 65÷3　　② 49÷6

③ 38÷5　　④ 74÷7

⑤ 61÷8

12 다음 중 나눗셈의 몫이 다른 하나는 어느 것일까요? ························· ( )

① 24÷2　　② 37÷3

③ 64÷5　　④ 78÷6

⑤ 86÷7

13 몫이 같은 것끼리 선으로 이으세요.

84÷6	•		•	96÷8
65÷5	•		•	91÷7
48÷4	•		•	42÷3

14 귤이 148개 있습니다. 한 사람이 4개씩 먹는다면 몇 명이 먹을 수 있을까요?

( )

15 나눗셈이 나누어떨어지려면 0부터 9까지 의 수 중에서 □ 안에 알맞은 수는 얼마일 까요?

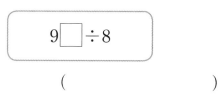

( )

16 □ 안에 알맞은 숫자를 써넣으세요.

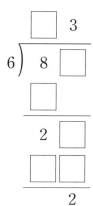

서술형

17 색종이가 10장씩 8묶음과 낱장으로 1장 있 습니다. 이 색종이를 3사람이 똑같이 나누 어 가진다면 한 사람이 몇 장씩 가질 수 있 는지 풀이 과정을 쓰고 답을 구하세요.

풀이

답 _____

18 사과 48개와 배 56개가 있습니다. 이 사과 와 배를 4상자에 똑같이 나누어 담으려고 합니다. 한 상자에 담을 수 있는 사과와 배 는 모두 몇 개일까요?

( )

19 수 카드를 한 번씩만 사용하여 두 자리 수 를 만든 다음 남은 수 카드의 수로 나누었 을 때, 몫이 가장 크게 되는 나눗셈식을 쓰 고 계산해 보세요.

9   5   7

□ ÷ □ = □ … □

서술형

20 다음을 모두 만족하는 자연수는 무엇인지 풀이 과정을 쓰고 답을 구하세요.

- 45보다 크고 50보다 작습니다.
- 7로 나누었을 때 나누어떨어집니다.

풀이

답 _____

단계별로 연습하는 **서술형평가**

나눗셈

점수

01 색연필 92자루를 한 사람에게 7자루씩 나누어 주려고 합니다. 몇 명에게 나누어 줄 수 있고 몇 자루가 남는지 구하세요.

❶ 색연필을 몇 명에게 나누어 줄 수 있고 몇 자루가 남는지 구하는 나눗셈식을 만들려고 합니다. □ 안에 알맞은 수를 써넣으세요.

$$\boxed{} \div \boxed{} = \boxed{} \cdots \boxed{}$$

❷ ❶에서 만든 나눗셈식의 몫과 나머지를 각각 구하세요.

몫 (   ), 나머지 (   )

❸ 색연필을 몇 명에게 나누어 줄 수 있고 몇 자루가 남을까요?

(   ), (   )

02 유미는 사과 55개를 한 봉지에 5개씩 똑같이 나누어 담았고, 배 90개를 한 봉지에 6개씩 똑같이 나누어 담았습니다. 사과와 배를 담은 봉지는 모두 몇 개인지 구하세요.

❶ 사과를 담은 봉지는 몇 개일까요?

$$55 \div \boxed{} = \boxed{} (개)$$

(   )

❷ 배를 담은 봉지는 몇 개일까요?

$$90 \div \boxed{} = \boxed{} (개)$$

(   )

❸ 사과와 배를 담은 봉지는 모두 몇 개일까요?

(   )

03 영은이는 매일 21쪽씩 8일 동안 모두 읽은 동화책을 다시 읽으려고 합니다. 매일 9쪽씩 읽으면 모두 읽는 데 적어도 며칠이 걸리는지 구하세요.

❶ 동화책의 전체 쪽수는 몇 쪽일까요?

$$21 \times \boxed{} = \boxed{} \text{(쪽)}$$

(   )

❷ 매일 9쪽씩 읽으면 며칠 동안 읽고 몇 쪽이 남을까요?

(   ), (   )

❸ 매일 9쪽씩 읽으면 모두 읽는 데 적어도 며칠이 걸릴까요?

(   )

04 다음 직사각형 모양의 벽에 한 변이 4 cm인 정사각형 모양의 타일을 겹치지 않게 이어 붙이려고 합니다. 필요한 타일은 모두 몇 장인지 구하세요.

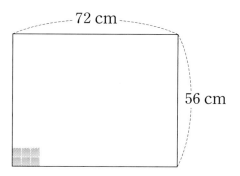

❶ 72 cm인 가로 줄에는 타일을 몇 장 붙일 수 있을까요?

(   )

❷ 56 cm인 세로 줄에는 타일을 몇 장 붙일 수 있을까요?

(   )

❸ 정사각형 모양의 타일을 겹치지 않게 이어 붙일 때 필요한 타일은 모두 몇 장일까요?

(   )

01 연필 118자루를 한 사람에게 6자루씩 나누어 주려고 합니다. 몇 명에게 나누어 줄 수 있고 몇 자루가 남는지 풀이 과정을 쓰고 답을 구하세요.

풀이

답 _____ , _____

🔍 **어떻게 풀까요?**
- 나눗셈식으로 몫과 나머지를 구하여 알아볼 수 있습니다.
- 118에서 6을 몇 번 빼고 남는 것은 얼마인지 알아볼 수도 있습니다.

02 나은이는 사탕 60개를 한 봉지에 4개씩 똑같이 나누어 담았고, 초콜릿 80개를 한 봉지에 5개씩 똑같이 나누어 담았습니다. 사탕과 초콜릿을 담은 봉지는 모두 몇 개인지 풀이 과정을 쓰고 답을 구하세요.

풀이

답 _____

🔍 **어떻게 풀까요?**
- 사탕을 담은 봉지 수와 초콜릿을 담은 봉지 수를 각각 구하여 더합니다.

03 소담이는 동화책을 매일 25쪽씩 7일 동안 모두 읽었습니다. 이 동화책을 다시 읽으려고 할 때 매일 8쪽씩 읽으면 모두 읽는 데 적어도 며칠이 걸리는지 풀이 과정을 쓰고 답을 구하세요.

풀이

답 _____

🔍 **어떻게 풀까요?**
- 곱셈을 이용하여 전체 동화책의 쪽수를 먼저 구한 후 동화책을 모두 읽는 데 적어도 며칠이 걸리는지 알아봅니다.
- 나눗셈으로 간단하게 구할 수 있지만 뺄셈으로 구할 수도 있습니다.

4단원 쪽지시험 3회

▶ 대분수 알아보기

분수

점수

스피드 정답표 7쪽, 정답 및 풀이 32쪽

4
분수

[01 ~ 02] 그림을 보고 대분수로 나타내어 보세요.

01

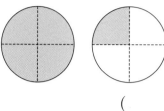

(   )

02

(   )

[03 ~ 05] 다음 중 대분수에 ◯표 하세요.

03

$\dfrac{4}{5}$ $1\dfrac{1}{3}$ $\dfrac{9}{2}$

04

$2\dfrac{4}{6}$ $\dfrac{5}{9}$ $\dfrac{7}{6}$

05

$\dfrac{3}{8}$ $1\dfrac{7}{4}$ $4\dfrac{1}{6}$

[06 ~ 10] 가분수는 대분수로, 대분수는 가분수로 나타내어 보세요.

06 $\dfrac{7}{4}$ ⇨ (   )

07 $\dfrac{15}{8}$ ⇨ (   )

08 $\dfrac{18}{5}$ ⇨ (   )

09 $1\dfrac{5}{6}$ ⇨ (   )

10 $2\dfrac{1}{7}$ ⇨ (   )

[01~02] 그림을 보고 두 분수의 크기를 비교하여 ○ 안에 >, =, <를 알맞게 써넣으세요.

01
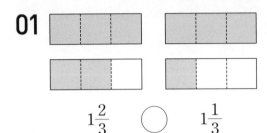

$1\frac{2}{3}$ ◯ $1\frac{1}{3}$

02
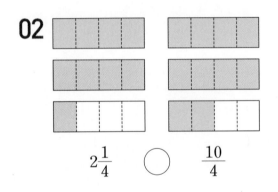

$2\frac{1}{4}$ ◯ $\frac{10}{4}$

[03~09] 두 분수의 크기를 비교하여 ○ 안에 >, =, <를 알맞게 써넣으세요.

03 $\frac{7}{5}$ ◯ $\frac{10}{5}$

04 $\frac{17}{6}$ ◯ $\frac{14}{6}$

05 $1\frac{1}{8}$ ◯ $2\frac{5}{8}$

06 $3\frac{4}{9}$ ◯ $3\frac{1}{9}$

07 $2\frac{2}{7}$ ◯ $\frac{13}{7}$

08 $4\frac{1}{3}$ ◯ $\frac{20}{3}$

09 $1\frac{2}{11}$ ◯ $\frac{12}{11}$

10 다음 중 가장 큰 분수에 ◯표 하세요.

| $\frac{8}{9}$ | $1\frac{7}{9}$ | $\frac{14}{9}$ |

스피드 정답표 7쪽, 정답 및 풀이 33쪽

01 그림을 보고 □ 안에 알맞은 수를 써넣으세요.

12를 4씩 묶으면 4는 12의 $\frac{\square}{\square}$ 입니다.

02 주어진 분수만큼 색칠해 보세요.

 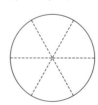

03 □ 안에 알맞은 말을 써넣으세요.

자연수와 진분수로 이루어진 분수를 □라고 합니다.

04 □ 안에 알맞은 수를 써넣으세요.

4는 7의 $\frac{\square}{\square}$ 입니다.

[05 ~ 06] 분수를 보고 물음에 답하세요.

ㄱ $\frac{1}{7}$ ㄴ $\frac{6}{5}$ ㄷ $\frac{2}{3}$ ㄹ $\frac{9}{9}$

ㅁ $2\frac{1}{5}$ ㅂ $\frac{11}{10}$ ㅅ $2\frac{2}{7}$ ㅇ $\frac{10}{8}$

05 진분수를 모두 찾아 기호를 쓰세요.

( )

06 가분수를 모두 찾아 기호를 쓰세요.

( )

07 색칠한 부분을 대분수로 나타내어 보세요.

( )

08 그림을 보고 분수의 크기를 비교하여 ○ 안에 >, <를 알맞게 써넣으세요.

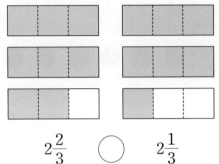

$2\frac{2}{3}$ ○ $2\frac{1}{3}$

12 다음 중 대분수를 가분수로 <u>잘못</u> 나타낸 것은 어느 것일까요? ‥‥‥‥‥( )

① $2\frac{2}{3} = \frac{8}{3}$ ② $2\frac{1}{4} = \frac{9}{4}$

③ $1\frac{1}{8} = \frac{9}{8}$ ④ $3\frac{2}{11} = \frac{15}{11}$

⑤ $4\frac{3}{7} = \frac{31}{7}$

09 수직선을 보고 □ 안에 알맞은 가분수를 써넣으세요.

0 $\frac{1}{4}$ $\frac{2}{4}$ $\frac{3}{4}$ $\frac{4}{4}$ $\frac{5}{4}$ $\frac{6}{4}$ □ 2

13 □ 안에 알맞은 수를 쓰고, 색칠해 보세요.

8의 $\frac{3}{4}$은 하늘색 구슬입니다.

⇨ □ 개 (하늘색으로 색칠하세요.)

[10 ~ 11] 그림을 보고 □ 안에 알맞은 수를 써넣으세요.

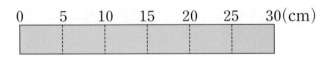

0   5   10   15   20   25   30(cm)

10 30 cm의 $\frac{1}{6}$은 □ cm입니다.

14 두 분수의 크기를 비교하여 ○ 안에 >, =, <를 알맞게 써넣으세요.

$\frac{9}{5}$ ○ $\frac{7}{5}$

11 30 cm의 $\frac{5}{6}$는 □ cm입니다.

15 다음 중 더 큰 분수를 쓰세요.

$$2\frac{6}{7} \qquad \frac{22}{7}$$

( )

16 소정이는 구슬 16개 중 5개를 민기에게 나누어 주었습니다. 소정이가 민기에게 준 구슬은 전체의 몇 분의 몇인지 분수로 나타내세요.

( )

17 분모가 15인 가분수 중에서 분자가 가장 작은 분수를 쓰세요.

( )

18 동규는 하루 24시간의 $\frac{1}{8}$ 은 책을 읽습니다. 동규가 하루에 책을 읽는 시간은 몇 시간일까요?

( )

19 윤한이와 종호는 체험학습으로 밤을 주웠습니다. 윤한이와 종호 중에서 누가 밤을 더 많이 주웠을까요?

난 밤을 $\frac{11}{9}$ kg 주웠어.

나는 $1\frac{3}{9}$ kg 주웠어.

윤한   종호

( )

20 수 카드 6 , 4 , 7 을 한 번씩만 사용하여 가장 큰 대분수를 만들어 보세요.

( )

스피드 정답표 8쪽, 정답 및 풀이 34쪽

01 그림을 보고 □ 안에 알맞은 수를 써넣으세요.

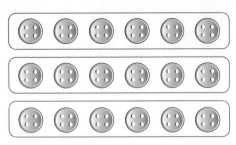

18의 $\frac{1}{3}$은 □ 입니다.

02 그림을 2칸씩 묶고 □ 안에 알맞은 수를 써넣으세요.

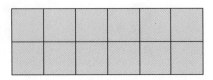

12를 2씩 묶으면 2는 12의 $\dfrac{\square}{\square}$ 입니다.

03 다음 중 진분수가 <u>아닌</u> 것은 어느 것일까요? ····································· (　　)

① $\frac{3}{4}$ 　　 ② $\frac{8}{8}$ 　　 ③ $\frac{2}{7}$

④ $\frac{11}{12}$ 　　 ⑤ $\frac{9}{10}$

04 색칠한 부분을 대분수로 나타내어 보세요.

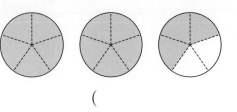

(　　　　　　　　)

05 가분수는 ○표, 대분수는 △표 하세요.

$3\frac{7}{10}$	$\frac{9}{5}$
$\frac{31}{10}$	$2\frac{2}{6}$

[06 ~ 07] 그림을 보고 □ 안에 알맞은 수를 써넣으세요.

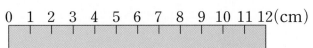

06 12 cm의 $\frac{2}{4}$는 □ cm입니다.

07 12 cm의 $\frac{2}{6}$는 □ cm입니다.

08 가분수를 모두 찾아 ○표 하세요.

$$\frac{4}{7} \qquad \frac{20}{19} \qquad 3\frac{1}{3} \qquad \frac{6}{6} \qquad \frac{16}{13}$$

09 □ 안에 알맞은 수를 써넣으세요.

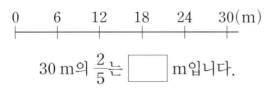

$30 \text{ m의 } \dfrac{2}{5}$ 는 □ m입니다.

10 그림을 보고 두 분수의 크기를 비교하여 더 큰 수를 쓰세요.

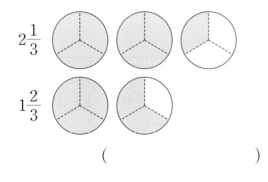

( )

11 분모가 5인 진분수를 모두 쓰세요.

( )

12 두 분수의 크기를 비교하여 □ 안에 알맞은 수를, ○ 안에 >, =, <를 알맞게 써넣으세요.

$$1\frac{3}{8} \bigcirc 1\frac{7}{8}$$

자연수 부분이 같으므로 분자의 크기를 비교하면 □ 이 □ 보다 더 큽니다.

13 두 분수의 크기를 비교하여 ○ 안에 >, =, <를 알맞게 써넣으세요.

$$\frac{14}{7} \bigcirc 1\frac{1}{7}$$

14 정아는 길이가 16 cm인 리본의 $\dfrac{1}{4}$ 을 사용했습니다. 정아가 사용한 리본의 길이는 몇 cm일까요?

( )

15 □ 안에 알맞은 가분수를 구하세요.

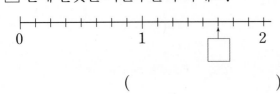

(   )

16 |조건|에 맞는 분수를 찾아 ○표 하세요.

┌ 조건 ┐
분모와 분자의 합이 14이고 가분수입
니다.

($\frac{6}{8}$, $1\frac{5}{9}$, $\frac{7}{7}$)

17 연우는 길이가 $\frac{33}{5}$ m인 끈을 가지고 있습
니다. 연우가 가지고 있는 끈의 길이를 대
분수로 나타내면 몇 m일까요?

(   )

18 다음 대분수의 □ 안에 들어갈 수 있는 자
연수는 모두 몇 개일까요?

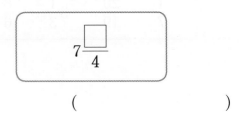

(   )

[19~20] 다음과 같은 수 카드가 각각 한 장씩 있습
니다. 물음에 답하세요.

| 2 | | 3 | | 4 |

19 두 장을 뽑아 한 번씩만 사용하여 만들 수
있는 가분수를 모두 구하세요.

(   )

20 세 장을 한 번씩만 사용하여 만들 수 있는
대분수를 모두 구하세요.

(   )

스피드 정답표 8쪽, 정답 및 풀이 34쪽

01 □ 안에 알맞게 써넣으세요.

7과 $\frac{3}{5}$은 [ ]이라 쓰고

[ ]이라고 읽습니다.

02 그림을 보고 □ 안에 알맞은 수를 써넣으세요.

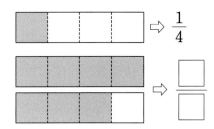

36을 4씩 묶으면 20은 36의 $\frac{□}{□}$입니다.

03 그림을 보고 □ 안에 알맞은 수를 써넣으세요.

⇨ $\frac{1}{4}$

⇨ $\frac{□}{□}$

04 진분수에는 ○표, 가분수에는 △표, 대분수에는 □표 하세요.

$\frac{4}{4}$ $\frac{7}{10}$ $1\frac{1}{5}$ $\frac{8}{6}$

( ) ( ) ( ) ( )

4 분수

05 그림을 보고 □ 안에 알맞은 수를 써넣으세요.

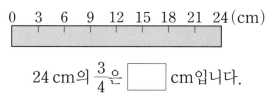

24 cm의 $\frac{3}{4}$은 [ ] cm입니다.

06 가분수를 대분수로 나타내어 보세요.

$\frac{9}{4}$ ⇨ ( )

07 □ 안에 알맞은 수를 써넣고 색칠해 보세요.

15의 $\frac{1}{3}$은 [ ]입니다.

⇨

08 수직선 위에 $\frac{7}{7}$인 곳을 찾아 점으로 표시하세요.

0   1

09 사다리를 타고 내려가 도착한 곳이 참이면 ○표, 거짓이면 ×표를 하세요.

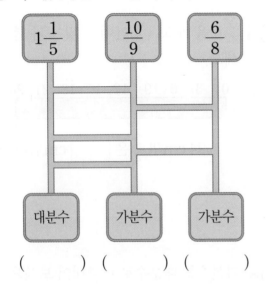

$1\frac{1}{5}$ $\frac{10}{9}$ $\frac{6}{8}$

대분수   가분수   가분수

(   ) (   ) (   )

[10~11] 두 분수의 크기를 비교하여 ○ 안에 >, =, <를 알맞게 써넣으세요.

10 $2\frac{5}{9}$ ○ $3\frac{1}{9}$

11 $4\frac{3}{7}$ ○ $\frac{33}{7}$

12 더 긴 리본을 가지고 있는 사람은 누구일까요?

진하 $\frac{11}{8}$ m

찬우 $\frac{15}{8}$ m

(   )

13 그림과 같은 선물 상자가 10개 있습니다. 전체 선물 상자의 $\frac{3}{5}$은 인형이 들어 있다고 합니다. 인형이 들어 있는 선물 상자는 몇 개일까요?

(   )

14 분모와 분자의 합이 16인 가분수를 찾아 쓰세요.

$\frac{5}{9}$ $1\frac{3}{5}$ $\frac{9}{7}$ $\frac{12}{12}$

(   )

15 자연수 부분이 3이고, 분모가 5인 대분수는 모두 몇 개일까요?

( )

16 분수의 크기를 비교하여 작은 수부터 차례대로 기호를 쓰세요.

$\bigcirc\ 1\dfrac{5}{11}$ $\bigcirc\ \dfrac{13}{11}$

$\bigcirc\ \dfrac{19}{11}$ $\bigcirc\ 1\dfrac{6}{11}$

( )

17 $\dfrac{5}{\square}$ 는 가분수입니다. □ 안에 들어갈 수 있는 자연수를 모두 구하세요.

(단, □는 1보다 큽니다.)

( )

18 유진이는 주스를 만들기 위해서 사과 $\dfrac{5}{3}$개와 당근 $1\dfrac{1}{3}$개를 사용했습니다. 사과와 당근 중 더 많이 사용한 것은 어느 것일까요?

( )

19 분모가 8인 가분수 중에서 $2\dfrac{3}{8}$보다 크고 $\dfrac{23}{8}$ 보다 작은 분수는 모두 몇 개일까요?

( )

서술형

20 수 카드 3장이 있습니다. 이 수 카드를 한 번씩만 사용하여 가장 큰 대분수를 만들려고 합니다. 풀이 과정을 쓰고 답을 구하세요.

| 5 | 4 | 8 |

풀이

답 _____

스피드 정답표 8쪽, 정답 및 풀이 35쪽

01 $2\frac{5}{6}$만큼 색칠해 보세요.

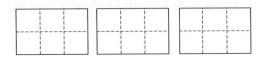

02 다음 중 분자가 4인 진분수는 어느 것일까요?·······················(　　　)

① $\frac{4}{4}$　　② $\frac{1}{4}$　　③ $\frac{4}{13}$

④ $3\frac{4}{5}$　　⑤ $\frac{4}{2}$

03 그림을 보고 □ 안에 알맞은 수를 써넣으세요.

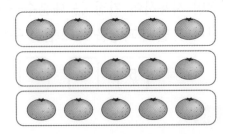

15를 5씩 묶으면 10은 15의 $\frac{□}{□}$입니다.

04 그림을 보고 □ 안에 알맞은 수를 써넣으세요.

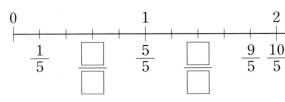

[05 ~ 06] 분수를 보고 물음에 답하세요.

$1\frac{2}{5}$	$\frac{10}{7}$	$\frac{7}{17}$	$1\frac{1}{7}$
$4\frac{2}{5}$	$2\frac{5}{13}$	$\frac{7}{7}$	$\frac{12}{9}$

05 가분수를 모두 찾아 쓰세요.

(　　　　　　　　　　　)

06 분모가 7인 대분수를 찾아 쓰세요.

(　　　　　　　　　　　)

07 대분수를 가분수로 나타내어 보세요.

$3\frac{6}{7}$ ⇨ (　　　　　　　　)

08 두 분수의 크기를 비교하여 ○ 안에 >, =, <를 알맞게 써넣으세요.

$$2\frac{5}{7} \bigcirc \frac{15}{7}$$

09 크기가 같은 분수끼리 선으로 이어 보세요.

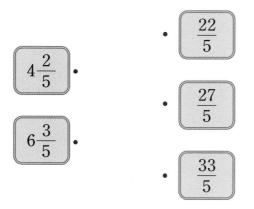

10 다음 중 가분수를 대분수로 고쳤을 때 자연수 부분이 3인 분수는 어느 것일까요?

································ (   )

① $\frac{8}{5}$ ② $\frac{11}{5}$ ③ $\frac{13}{5}$

④ $\frac{19}{5}$ ⑤ $\frac{26}{5}$

11 문구점에서 학교와 집까지의 거리입니다. 문구점에서 더 먼 곳은 어디일까요?

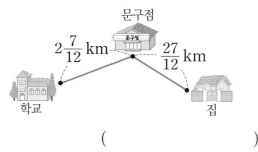

(   )

12 그림을 보고 □ 안에 알맞은 수를 써넣으세요.

1시간의 $\frac{1}{2}$은 □분입니다.

13 가장 큰 분수를 찾아 기호를 쓰세요.

ㄱ $1\frac{6}{8}$ ㄴ $\frac{13}{8}$ ㄷ $\frac{9}{8}$

(   )

14 12의 $\frac{2}{3}$와 값이 같은 것은 어느 것일까요?
.................................( )

① 14의 $\frac{1}{7}$ ② 16의 $\frac{3}{8}$

③ 18의 $\frac{4}{9}$ ④ 15의 $\frac{2}{5}$

⑤ 20의 $\frac{2}{4}$

[15~17] 조건에 맞게 색칠하여 무늬를 꾸며 보세요.

빨간색: 16의 $\frac{5}{8}$

파란색: 16의 $\frac{3}{8}$

○○○○○○○○
○○○○○○○○

15 빨간색 ○는 몇 개일까요?
( )

16 파란색 ○는 몇 개일까요?
( )

17 빨간색과 파란색으로 무늬를 꾸며 색칠해 보세요.

18 □ 안에 들어갈 수 있는 자연수는 모두 몇 개일까요?

$$\frac{19}{14} > 1\frac{\square}{14}$$

( )

19 분모가 4인 분수 중에서 2보다 작은 가분수를 모두 쓰세요.
( )

서술형

20 분모와 분자의 합은 10이고, 분모와 분자의 차는 4인 진분수를 구하려고 합니다. 풀이 과정을 쓰고 답을 구하세요.

풀이

답 _____

스피드 정답표 8쪽, 정답 및 풀이 36쪽

01 분수를 주머니에 알맞게 써넣으세요.

$1\frac{3}{5}$ $\frac{4}{7}$ $\frac{10}{9}$

진분수   가분수   대분수

02 그림을 보고 □ 안에 알맞은 수를 써넣으세요.

12를 2씩 묶으면 6은 12의 □/□ 입니다.

03 대분수를 찾아 읽어 보세요.

$\frac{4}{5}$ $1\frac{5}{8}$ $2\frac{10}{2}$

(   )

04 색칠한 부분을 대분수와 가분수로 각각 나타내어 보세요.

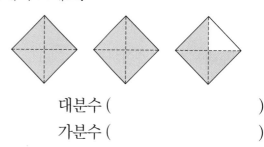

대분수 (   )

가분수 (   )

[05~07] 두 분수의 크기를 비교하여 ○ 안에 >, =, <를 알맞게 써넣으세요.

05 $\frac{10}{9}$ ○ $\frac{12}{9}$

06 $1\frac{5}{6}$ ○ $2\frac{1}{6}$

07 $4\frac{3}{7}$ ○ $\frac{22}{7}$

[08~10] 조건에 맞게 규칙을 만들어 색칠해 보세요.

노란색: 9의 $\frac{1}{3}$ 초록색: 9의 $\frac{2}{3}$

0 1 2 3 4 5 6 7 8 9

08 노란색은 몇 칸일까요? ☐ 칸

09 초록색은 몇 칸일까요? ☐ 칸

10 노란색과 초록색으로 규칙을 만들어 색칠해 보세요.

11 다음 중 가분수는 모두 몇 개일까요?

$\frac{5}{4}$ $\frac{10}{14}$ $\frac{13}{9}$ $\frac{7}{7}$ $3\frac{2}{7}$

( )

12 대분수는 가분수로, 가분수는 대분수로 나타내어 보세요.

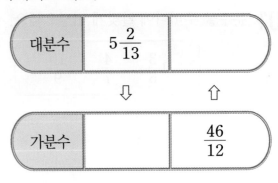

| 대분수 | $5\frac{2}{13}$ | |

⇩   ⇧

| 가분수 | | $\frac{46}{12}$ |

13 분모가 9인 진분수를 가장 작은 수부터 2개 쓰세요.

( )

14 그림을 보고 ☐ 안에 알맞은 수를 써넣으세요.

1시간의 $\frac{1}{4}$은 ☐ 분입니다.

15 분모와 분자의 차가 3인 가분수를 찾아 쓰세요.

$$1\frac{1}{3} \qquad \frac{3}{6} \qquad \frac{7}{4} \qquad \frac{11}{7}$$

(   )

16 그림에서 나타내는 분수를 수직선 위에 (↑)로 표시해 보세요.

17 크기가 큰 분수부터 차례대로 쓰세요.

$$\frac{10}{3} \qquad 3\frac{2}{3} \qquad 2\frac{1}{3}$$

(   )

18 다음 조건을 모두 만족하는 진분수를 구하세요.

- (분자)＋(분모)＝15
- (분모)－(분자)＝1

(   )

서술형

19 다음과 같은 수 카드 3장이 있습니다. 이 수 카드를 한 번씩만 사용하여 만든 가장 작은 대분수를 가분수로 나타내려고 합니다. 풀이 과정을 쓰고 답을 구하세요.

2   5   3

풀이

답 _____

서술형

20 $\frac{19}{6}$ 보다 크고 $\frac{35}{6}$ 보다 작은 자연수를 모두 구하려고 합니다. 풀이 과정을 쓰고 답을 구하세요.

풀이

답 _____

01 나은이는 종이학 20개를 접었습니다. 그중의 $\frac{3}{5}$을 동생에게 주었다면 나은이가 동생에게 준 종이학은 몇 개인지 구하세요.

❶ 종이학 20개를 5묶음으로 나누면 한 묶음에는 종이학이 몇 개일까요?

(   )

❷ 나은이가 동생에게 준 종이학은 몇 개일까요?

(   )

02 ㉠과 ㉡에 알맞은 수의 합을 구하세요.

- 2는 10의 $\frac{1}{㉠}$입니다.

- 8은 10의 $\frac{㉡}{5}$입니다.

❶ ㉠에 알맞은 수는 얼마일까요?

(   )

❷ ㉡에 알맞은 수는 얼마일까요?

(   )

❸ ㉠과 ㉡의 합은 얼마일까요?

(   )

03 수아와 승아가 리본을 만들 때 사용한 테이프의 길이는 다음과 같습니다. 테이프를 더 많이 사용한 사람을 구하세요.

$$수아: 9\frac{1}{4} \text{ cm} \qquad 승아: \frac{35}{4} \text{ cm}$$

❶ 수아가 사용한 테이프의 길이를 가분수로 나타내어 보세요.

( )

❷ 수아와 승아 중 테이프를 더 많이 사용한 사람은 누구일까요?

( )

04 상자에 구슬이 30개 있습니다. 전체의 $\frac{1}{5}$이 빨간색이고, 전체의 $\frac{1}{6}$이 파란색입니다. 나머지가 노란색 구슬일 때, 노란색 구슬의 수를 구하세요.

❶ 상자에 있는 빨간색 구슬은 모두 몇 개일까요?

( )

❷ 상자에 있는 파란색 구슬은 모두 몇 개일까요?

( )

❸ 노란색 구슬은 몇 개일까요?

( )

01 서윤이는 사탕 21개를 가지고 있었습니다. 그중의 $\frac{4}{7}$를 동생에게 주었다면 서윤이가 동생에게 준 사탕은 몇 개인지 풀이 과정을 쓰고 답을 구하세요.

🔍 **어떻게 풀까요?**

• 21의 $\frac{1}{7}$은 몇인지 그림으로 묶어서 구한 후 21의 $\frac{4}{7}$가 몇인지 구합니다.

풀이

답 _____

02 ㉠과 ㉡에 알맞은 수의 합은 얼마인지 풀이 과정을 쓰고 답을 구하세요.

• 3은 9의 $\frac{1}{㉠}$ 입니다.

• 6은 9의 $\frac{㉡}{3}$ 입니다.

🔍 **어떻게 풀까요?**

• 3은 9를 똑같이 몇 묶음으로 나눈 것 중의 1인지 살펴봅니다.

• 6은 9를 똑같이 3묶음으로 나눈 것 중의 몇 묶음인지 살펴봅니다.

풀이

답 _____

03 주하와 리하가 선물 포장을 하는 데 사용한 테이프의 길이는 다음과 같습니다. 테이프를 더 많이 사용한 사람은 누구인지 풀이 과정을 쓰고 답을 구하세요.

🔍 **어떻게 풀까요?**

• 사용한 테이프의 길이를 대분수 또는 가분수로 같게 하여 분수의 크기를 비교합니다.

> 주하: $1\dfrac{1}{9}$ m   리하: $\dfrac{12}{9}$ m

풀이

답 _____

04 상자에 구슬이 40개 있습니다. 전체의 $\dfrac{1}{5}$이 빨간색이고, 전체의 $\dfrac{1}{8}$이 파란색입니다. 나머지가 노란색 구슬일 때, 노란색 구슬은 몇 개인지 풀이 과정을 쓰고 답을 구하세요.

🔍 **어떻게 풀까요?**

• 빨간색 구슬과 파란색 구슬의 수를 먼저 구하고 전체 구슬 수에서 빨간색 구슬과 파란색 구슬의 수를 빼어 노란색 구슬의 수를 구합니다.

풀이

답 _____

• 스피드 정답표 **9쪽**, 정답 및 풀이 **37쪽**

오답률 19%

01 그림을 보고 대분수를 가분수로 나타내세요.

$$2\frac{3}{8} = \frac{\boxed{}}{\boxed{}}$$

오답률 20%

02 딸기 아이스크림 5개를 만드는 데 필요한 재료입니다. 필요한 양이 가분수인 재료를 찾아 쓰세요.

딸기	우유	시럽	생크림
$\frac{8}{7}$컵	$\frac{1}{3}$컵	$\frac{8}{11}$컵	$1\frac{3}{4}$컵

( )

오답률 23%

03 □ 안에 들어갈 수 있는 자연수는 모두 몇 개일까요? ······························( )

$$\frac{13}{11} < \frac{\boxed{}}{11} < \frac{19}{11}$$

① 1개   ② 2개   ③ 3개
④ 4개   ⑤ 5개

오답률 27%

04 세미네 가족은 귤 18개 중 $\frac{7}{9}$을 먹었습니다. 세미네 가족이 먹은 귤은 몇 개일까요?

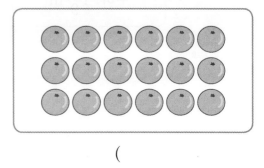

( )

오답률 33%

05 그림을 보고 대분수로 나타내세요.

( )

5

들이와 무게

개념 ① 들이 비교하기

- 한쪽에 물을 가득 채운 후 다른 쪽으로 옮겨 담아서 비교하기

가에 가득 채운 물이 나에 다 들어가므로 나의 들이가 더 많습니다.

- 모양과 크기가 같은 큰 그릇 2개에 각각 옮겨 담아서 비교하기

물의 높이가 높은 쪽이 들이가 더 많습니다.

- 들이가 같은 작은 컵으로 옮겨 담아 비교하기

└→ 컵의 수가 더 많은 쪽이 들이가 더 많습니다.

개념 ② 들이의 단위

- L, mL 알아보기
  들이의 단위에는 리터와 밀리리터가 있습니다.

쓰기	1L	1mL
읽기	1 리터	1 밀리리터

- 들이 단위 사이의 관계 알아보기
  1 리터는 1000 밀리리터와 같습니다.
  예 1 L 500 mL＝1 L＋500 mL
  　　　　　　　＝1000 mL＋500 mL
  　　　　　　　＝1500 mL

개념 ③ 들이를 어림하고 재어 보기

- 들이를 어림하여 말할 때에는
  약 □ L 또는 약 □ mL라고 합니다.
  예 물병의 들이는 약 1 L입니다.

약 1 L

개념 ④ 들이의 합과 차

- 들이의 합
  L는 L끼리 더하고 mL는 mL끼리 더하여 구합니다.

$$
\begin{array}{r}
3\ \text{L} \quad 200\ \text{mL} \\
+\ 2\ \text{L} \quad 400\ \text{mL} \\
\hline
\boxed{❶}\ \text{L} \quad \boxed{❷}\ \text{mL}
\end{array}
$$

- 들이의 차
  L는 L끼리 빼고 mL는 mL끼리 빼서 구합니다.

$$
\begin{array}{r}
5\ \text{L} \quad 700\ \text{mL} \\
-\ 2\ \text{L} \quad 400\ \text{mL} \\
\hline
\boxed{❸}\ \text{L} \quad \boxed{❹}\ \text{mL}
\end{array}
$$

> 참고
>
> 받아올림과 받아내림이 있을 때에는
> 1 L＝1000 mL임을 이용하여 계산합니다.
>
> $$
> \begin{array}{r}
> \overset{1}{} 2\ \text{L}\ \ 400\ \text{mL} \\
> +\ 1\ \text{L}\ \ 800\ \text{mL} \\
> \hline
> 4\ \text{L}\ \ 200\ \text{mL}
> \end{array}
> $$

| 정답 | ❶ 5　❷ 600　❸ 3　❹ 300

개념 5 무게 비교하기

● 물건을 저울의 양쪽에 올려 비교하기

저울이 내려가는 쪽의 물건의 무게가 더 무겁습니다. ⇨ 배가 사과보다 더 무겁습니다.

● 같은 단위 물체의 무게로 비교하기

20개   30개

단위 물체가 더 많이 사용된 물건이 더 무겁습니다.
⇨ 배가 사과보다 더 무겁습니다.

개념 6 무게의 단위

무게의 단위에는 킬로그램, 그램과 톤이 있습니다.

● kg, g 알아보기

쓰기

읽기 1 킬로그램   1 그램

$$1\,kg = 1000\,g$$

● t 알아보기

쓰기    읽기 1 톤

$$1\,t = 1000\,kg$$

● 무게 단위 사이의 관계 알아보기

예 • 2 t = 2000 kg
  • 1 kg 200 g = 1 kg + 200 g
             = 1000 g + 200 g
             = 1200 g

개념 7 무게를 어림하고 재어 보기

● 무게를 어림하여 말할 때에는
약 ☐ kg 또는 약 ☐ g이라고 합니다.
예 강아지의 무게는 약 3 kg입니다.

약 3 kg

개념 8 무게의 합과 차

● 무게의 합
kg은 kg끼리 더하고 g은 g끼리 더하여 구합니다.

```
    2  kg    500   g
 +  1  kg    300   g
 ───────────────────
   ❺  kg   ❻     g
```

● 무게의 차
kg은 kg끼리 빼고 g은 g끼리 빼서 구합니다.

```
    4  kg    700   g
 −  2  kg    400   g
 ───────────────────
   ❼  kg   ❽     g
```

> 참고
>
> 받아올림과 받아내림이 있을 때에는
> 1 kg = 1000 g임을 이용하여 계산합니다.
>
> ```
>         4    1000
>      5̶ kg   200 g
>    − 2 kg   700 g
>    ─────────────
>      2 kg   500 g
> ```

| 정답 | ❺ 3   ❻ 800   ❼ 2   ❽ 300

5

들이와 무게

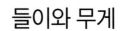
[01~02] 왼쪽 그릇에 물을 가득 채운 후 오른쪽 그릇에 옮겨 담은 그림을 보고 들이가 더 많은 것에 ○표 하세요.

01 ( )

( )

02 ( )

( )

[03~04] ㉮ 그릇과 ㉯ 그릇에 물을 가득 채운 후 모양과 크기가 같은 컵에 옮겨 담았습니다. 들이가 더 많은 것에 ○표 하세요.

03

㉮ ( )

㉯ ( )

04

( )

( )

[05~06] 주어진 들이를 써 보세요.

05 | 3 L |

----

06 | 200 mL |

----

07 물의 양이 얼마인지 눈금을 읽어 보세요.

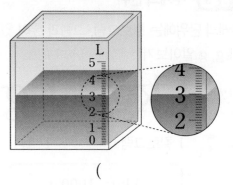

( )

[08~10] □ 안에 알맞은 수를 써넣으세요.

08 1 L = □ mL

09 5000 mL = □ L

10 4 L 20 mL = □ mL

106 • 수학 3-2

[01 ~ 03] □ 안에 L와 mL 중 알맞은 단위를 써넣으세요.

01 음료수 캔의 들이는 약 250 □ 입니다.

02 욕조의 들이는 약 500 □ 입니다.

03 주사기의 들이는 약 3 □ 입니다.

[04 ~ 08] 계산해 보세요.

04
```
    1 L   500  mL
 +  2 L   200  mL
 ─────────────────
   □ L   □  mL
```

05
```
    2 L   300  mL
 +  4 L   500  mL
 ─────────────────
   □ L   □  mL
```

06
```
    6 L   900  mL
 -  3 L   100  mL
 ─────────────────
   □ L   □  mL
```

07
```
    4 L   800  mL
 -  2 L   600  mL
 ─────────────────
   □ L   □  mL
```

08 7 L 400 mL − 1 L 300 mL

= □ L □ mL

[09 ~ 10] 무게를 비교하여 더 무거운 것에 ○표 하세요.

09

(   )   (   )

10

(   ) (   )

[01~03] 주어진 무게를 쓰고 읽어 보세요.

01
| 4 kg |

쓰기 _____

읽기 ( )

02
| 200 g |

쓰기 _____

읽기 ( )

03
| 5 t |

쓰기 _____

읽기 ( )

[04~05] □ 안에 알맞은 수를 써넣으세요.

04 7 t = □ kg

05 1 kg 500 g = □ g + 500 g

= □ g

[06~07] □ 안에 kg과 g 중 알맞은 단위를 써넣으세요.

06 고양이의 무게는 약 2 □ 입니다.

07 사과 한 개의 무게는 약 400 □ 입니다.

[08~10] □ 안에 알맞은 수를 써넣으세요.

08
```
   1 kg   400 g
+  2 kg   500 g
───────────────
   □ kg   □ g
```

09
```
   5 kg   700 g
−  4 kg   100 g
───────────────
   □ kg   □ g
```

10 3 kg 100 g + 5 kg 500 g

= □ kg □ g

스피드 정답표 10쪽, 정답 및 풀이 38쪽

01 주어진 들이를 써 보세요.

> 7 L
>
> _____
>
> _____

02 들이가 가장 많은 것에 ○표 하세요.

( ) ( ) ( )

03 □ 안에 알맞은 수를 써넣으세요.

3 L = ☐ mL

04 물이 채워진 그림에서 눈금을 읽어 보세요.

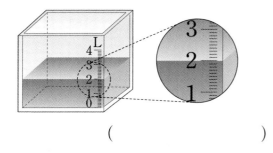

( )

05 저울의 눈금을 읽어 보세요.

( )

06 그릇 ㉮와 ㉯에 물을 가득 채운 후 모양과 크기가 같은 그릇에 옮겨 담았습니다. 그릇 ㉮와 ㉯ 중 어느 것의 들이가 더 많을까요?

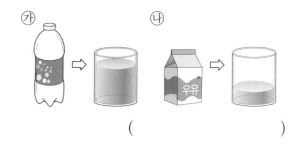

( )

07 □ 안에 알맞은 수를 써넣으세요.

2 kg 700 g = ☐ kg + 700 g

= ☐ g + ☐ g

= ☐ g

5

들이와 무게

[08~09] □ 안에 알맞은 수를 써넣으세요.

08 5070 mL = ☐ L ☐ mL

09 4 L 600 mL = ☐ mL

[10~11] 알맞은 단위에 ○표 하세요.

10 요구르트 병의 들이는 약 100 (mL , L)입니다.

11 코끼리의 무게는 약 4 (kg , t)입니다.

12 윗접시저울과 동전을 이용하여 연필과 지우개의 무게를 비교하려고 합니다. 어느 것이 동전 몇 개만큼 더 무거울까요?

동전 18개를 올리니까 연필과 무게가 같아졌습니다.

동전 20개를 올리니까 지우개와 무게가 같아졌습니다.

(   ), (   )

13 들이가 같은 것끼리 선으로 이으세요.

1500 mL ·	· 2 L 600 mL
2600 mL ·	· 1 L 500 mL
4200 mL ·	· 4 L 200 mL

14 들이를 비교하여 ○ 안에 >, =, <를 알맞게 써넣으세요.

6800 mL ○ 6 L 800 mL

15 다음 중 무게를 잘못 나타낸 것은 어느 것일까요? ·························· (   )

① 2000 kg＝2 t
② 1 kg 5 g＝1005 g
③ 4030 g＝40 kg 30 g
④ 8 kg 10 g＝8010 g
⑤ 6307 g＝6 kg 307 g

16 빈칸에 알맞은 무게는 몇 kg 몇 g인지 써넣으세요.

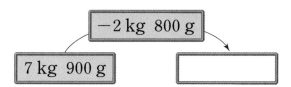

17 □ 안에 알맞은 수를 써넣으세요.

□	□	
9 L	200	mL
− 3 L	300	mL
□ L	□	mL

18 물이 수조에는 3890 mL 들어 있고, 양동이에는 3 L 800 mL 들어 있습니다. 어느 쪽에 있는 물의 양이 더 많을까요?

(   )

19 집에 1 kg 600 g의 고구마가 있는데 어머니께서 고구마를 더 사 오셔서 1800 g이 되었습니다. 어머니께서 더 사 오신 고구마는 몇 g일까요?

(   )

20 모래가 1 t 있었습니다. 1 t의 모래 중에서 공사하는 데 250 kg을 사용했습니다. 남은 모래는 몇 kg일까요?

(   )

5 단원
단원평가 2회

난이도
Ⓐ Ⓑ Ⓒ

들이와 무게

점수

스피드 정답표 10쪽, 정답 및 풀이 38쪽

01 주어진 무게를 써 보세요.

40 kg

----

02 다음을 읽어 보세요.

5 L 800 mL

(   )

03 더 무거운 것에 ○표 하세요.

(   )   (   )

04 주전자와 물통에 물을 가득 담아서 모양과 크기가 같은 그릇에 각각 부었더니 그림과 같았습니다. 주전자와 물통 중 어느 것의 들이가 더 많을까요?

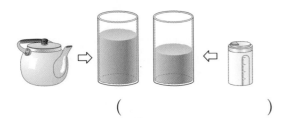

(   )

05 3 L의 물이 담긴 그릇에 250 mL의 물을 더 부었습니다. 그릇에 담긴 물의 양은 모두 몇 L 몇 mL일까요?

250 mL

3 L

(   )

06 □ 안에 알맞은 수를 써넣으세요.

$2900 \text{ mL} = \boxed{} \text{ mL} + 900 \text{ mL}$

$= \boxed{} \text{ L} + 900 \text{ mL}$

$= \boxed{} \text{ L} \boxed{} \text{ mL}$

07 다음 중 저울의 눈금과 같은 무게는 어느 것일까요? ⋯⋯⋯⋯⋯⋯⋯ (   )

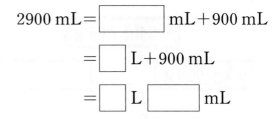

1300 g
1200 g
1100 g

① 200 g   ② 120 g
③ 1 kg 200 g   ④ 1 kg 20 g
⑤ 12 kg

08 꽃병과 수조에 물을 가득 채운 다음 모양과 크기가 같은 컵에 각각 따랐더니 그림과 같습니다. 어느 것의 들이가 더 많을까요?

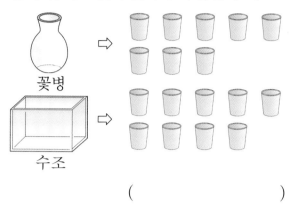

꽃병

수조

(   )

09 □ 안에 L와 mL 중 알맞은 단위를 써넣으세요.

보온병의 들이는 약 500 □ 입니다.

[10~11] □ 안에 알맞은 수를 써넣으세요.

10

$$\begin{array}{r} 8\ \text{L} \quad 900 \quad \text{mL} \\ -\quad\quad\quad 600 \quad \text{mL} \\ \hline \boxed{}\ \text{L} \quad \boxed{}\ \text{mL} \end{array}$$

11 7 kg 400 g + 2 kg 500 g

= □ kg □ g

12 더 무거운 것의 기호를 쓰세요.

㉠ 8 kg 230 g   ㉡ 8070 g

(   )

13 무게가 1 t보다 무거운 것을 찾아 기호를 쓰세요.

㉠ 학교 책상 1개
㉡ 버스 1대
㉢ 수학 책 10권

(   )

14 무게의 차는 몇 kg 몇 g일까요?

7 kg 500 g   9 kg 800 g

(   )

15 주전자와 물통에 들어 있는 물의 양을 각각 나타낸 것입니다. 주전자와 물통에 들어 있는 물은 모두 몇 L 몇 mL일까요?

3 L 350 mL   2 L 150 mL

( )

16 들이가 가장 많은 것을 찾아 기호를 쓰세요.

> ㉠ 4 L 900 mL   ㉡ 4090 mL
>
> ㉢ 4800 mL   ㉣ 4 L 80 mL

( )

17 ☐ 안에 알맞은 수를 써넣으세요.

```
        ☐
    3  L   400  mL
 +  5  L   900  mL
 ─────────────────
   ☐ L  ☐  mL
```

18 물 2 L 250 mL가 담긴 통에 물을 더 부었더니 4400 mL가 되었습니다. 더 부은 물은 몇 L 몇 mL일까요?

( )

19 그림과 같이 고구마의 무게를 재었습니다. 이 고구마를 무게가 580 g인 바구니에 넣고 다시 무게를 재면 몇 kg 몇 g이 될까요?

( )

20 진아의 몸무게는 31 kg 500 g입니다. 민주는 진아보다 1 kg 700 g 더 가볍다면 민주의 몸무게는 몇 kg 몇 g일까요?

( )

스피드 정답표 10쪽, 정답 및 풀이 39쪽

01 다음 들이를 읽어 보세요.

6 L 200 mL

( )

02 다음 중 무게를 나타내는 단위를 모두 고르세요. ……………………… ( )

① L ② kg ③ mL
④ cm ⑤ t

03 □ 안에 알맞은 수를 써넣으세요.

5 t = □ kg

04 알맞은 단위에 ○표 하세요.

수족관의 들이는 약 150 (mL , L)입니다.

05 무게가 무거운 것부터 순서대로 기호를 쓰세요.

㉠ 책상 ㉡ 필통 ㉢ 풍선 ㉣ 자동차

( )

06 8005 g과 무게가 같은 것에 ○표 하세요.

8 kg 5 g 8 kg 500 g 8 kg 50 g

( ) ( ) ( )

07 들이를 비교하여 ○ 안에 >, =, <를 알맞게 써넣으세요.

7 L 40 mL 7040 mL

08 □ 안에 kg과 g 중 알맞은 단위를 써넣으세요.

하마의 몸무게는 약 3000 □ 입니다.

09 다음 중 무게를 잘못 나타낸 것은 어느 것일까요? ·························· (　　　)

① 4000 g＝4 kg

② 6500 g＝65 kg

③ 7 t＝7000 kg

④ 21 kg＝21000 g

⑤ 10000 g＝10 kg

10 2 L에 더 가까운 들이의 기호를 쓰세요.

| ㉠ 1950 mL　　　㉡ 2 L 5 mL |

　　　　　(　　　　　)

[11~12] □ 안에 알맞은 수를 써넣으세요.

11
$$\begin{array}{r} 4 \text{ kg} \quad 200 \text{ g} \\ + \ 9 \text{ kg} \quad 700 \text{ g} \\ \hline \boxed{} \text{ kg} \ \boxed{} \text{ g} \end{array}$$

12 3900 mL － 1500 mL

＝ □ mL

＝ □ L □ mL

13 무거운 것부터 순서대로 기호를 쓰세요.

| ㉠ 5 kg 400 g　　　㉡ 6030 g |
| ㉢ 5100 g　　　㉣ 6 kg |

　　　　　(　　　　　)

14 들이의 합을 구하세요.

$$\begin{array}{r} 7 \text{ L} \quad 500 \text{ mL} \\ + \ 4 \text{ L} \quad 800 \text{ mL} \\ \hline \end{array}$$

15 그림과 같이 들이가 600 mL인 비커에 물이 담겨 있습니다. 물을 얼마나 더 넣으면 600 mL까지 채울 수 있을까요?

( )

16 ㉮ 욕조의 들이는 16 L 200 mL이고, ㉯ 욕조의 들이는 13500 mL입니다. ㉮ 욕조와 ㉯ 욕조의 들이의 합은 몇 L 몇 mL일까요?

( )

17 들이가 더 많은 것의 기호를 쓰세요.

| ㉮ | 4 L 700 mL＋2 L 400 mL |
| ㉯ | 12 L 300 mL－4 L 500 mL |

( )

18 진수네 집에 쌀이 72 kg 920 g 있었습니다. 그중에서 28 kg 600 g을 먹었다면 남은 쌀은 몇 kg 몇 g일까요?

( )

19 멜론 3개의 무게는 몇 kg 몇 g일까요?

( )

서술형

20 저울로 사과, 배, 토마토의 무게를 비교하고 있습니다. 사과, 배, 토마토 중에서 가장 가벼운 것은 무엇인지 풀이 과정을 쓰고 답을 구하세요.

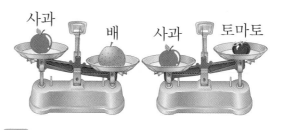

풀이

답 _____

5

들이와 무게

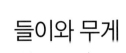
스피드 정답표 10쪽, 정답 및 풀이 40쪽

01 우유병에 물을 가득 채운 후 물병에 옮겨 담았습니다. 그림과 같이 물이 채워졌을 때 들이가 더 많은 것은 어느 것일까요?

우유병

물병

( )

02 □ 안에 알맞은 수나 말을 써넣으세요.

> 900 kg보다 100 kg 더 무거운 무게를 □ t이라 하고 1 □ 이라고 읽습니다.

03 세숫대야의 들이는 몇 mL일까요?

3 L

( )

04 □ 안에 알맞은 수를 써넣으세요.

$$4 \text{ kg } 200 \text{ g} = 4 \text{ kg} + 200 \text{ g}$$

$$= \boxed{} \text{ g} + 200 \text{ g}$$

$$= \boxed{} \text{ g}$$

05 다음 중 무게를 재는 데 g 단위가 적당하지 <u>않은</u> 것은 어느 것일까요?········( )

① 배 1개　　② 옷핀 1통

③ 몸무게　　④ 연필 1자루

⑤ 자 1개

06 사과가 담긴 바구니의 무게는 몇 kg 몇 g일까요?

( )

07 무게를 비교하여 ○ 안에 >, =, <를 알맞게 써넣으세요.

$$7 \text{ kg } 200 \text{ g} \bigcirc 7020 \text{ g}$$

08 다음 중 바르게 나타낸 것은 어느 것일까요?
   ·································· (   )

   ① 5 t＝500 kg
   ② 3010 mL＝3 L 10 mL
   ③ 20060 g＝2 kg 600 g
   ④ 60 L 40 mL＝6040 mL
   ⑤ 8 kg 7 g＝87 g

[09 ~ 10] 계산해 보세요.

09
```
     7 kg  550 g
 +   6 kg  350 g
```

10
```
    14 kg  550 g
 −   2 kg  600 g
```

11 재희와 유나는 각각 2 L의 물을 어림하여 수조에 담았습니다. 비커를 이용하여 실제 담은 양을 재었더니 다음과 같았습니다. 2 L에 더 가깝게 어림한 사람은 누구일까요?

   재희: 1 L 900 mL
   유나: 2010 mL

   (   )

[12 ~ 13] 보기 에 있는 물건을 선택하여 문장을 완성해 보세요.

   보기
   냄비   종이컵

12 [   ]의 들이는 약 180 mL입니다.

13 [   ]의 들이는 약 2 L입니다.

14 □ 안에 알맞은 수를 써넣고 들이가 더 많은 것의 기호를 쓰세요.

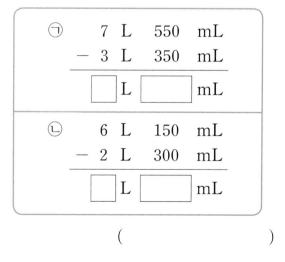

```
㉠    7 L   550  mL
   −  3 L   350  mL
      □ L  □  mL

㉡    6 L   150  mL
   −  2 L   300  mL
      □ L  □  mL
```

   (   )

15 들이가 적은 것부터 순서대로 기호를 쓰세요.

> ⊙ 8 L 2 mL   © 2800 mL
> © 8 L 200 mL   ② 8020 mL

(   )

16 들이의 합은 몇 L 몇 mL일까요?

> 3 L 720 mL   8 L 500 mL

(   )

17 가장 무거운 무게와 가장 가벼운 무게의 차는 몇 kg 몇 g일까요?

> ⊙ 4 kg 710 g   © 4600 g
> © 9 kg 680 g   ② 2290 g

(   )

18 계산 결과가 5 L보다 많은 것을 찾아 기호를 쓰세요.

> ⊙ 3200 mL＋1400 mL
> © 3 L 300 mL＋2600 mL
> © 2700 mL＋1 L 350 mL

(   )

19 주전자, 생수통, 음료수병에 들어 있는 물의 양을 각각 나타낸 것입니다. 세 그릇에 들어 있는 물은 모두 몇 L 몇 mL일까요?

1 L   2 L   1 L
800 mL   500 mL   200 mL

(   )

서술형

20 지우의 몸무게는 45 kg 600 g이고, 영호의 몸무게는 38 kg 200 g입니다. 아버지의 몸무게는 두 사람의 몸무게의 합보다 12 kg 300 g 더 가볍습니다. 아버지의 몸무게는 몇 kg 몇 g인지 풀이 과정을 쓰고 답을 구하세요.

풀이

답 _____

Ⓐ Ⓑ Ⓒ 난이도

스피드 정답표 10쪽, 정답 및 풀이 41쪽

01 주전자와 꽃병에 물을 가득 채웠다가 모양과 크기가 같은 그릇에 각각 옮겨 담았더니 그림과 같이 되었습니다. 주전자와 꽃병 중 어느 것의 들이가 더 많을까요?

주전자   꽃병

(   )

[02 ~ 03] ☐ 안에 알맞은 수를 써넣으세요.

02 8 L = ☐ mL

03 9 kg 8 g = ☐ g

04 ☐ 안에 L와 mL 중 알맞은 단위를 써넣으세요.

주사기의 들이는 약 2 ☐ 입니다.

05 무게를 비교하여 ○ 안에 >, =, <를 알맞게 써넣으세요.

| 5 t | ○ | 4990 kg |

06 무게의 합을 구하세요.

$$\begin{array}{r} 5 \ \text{kg} \ \ 200 \ \text{g} \\ + \ 9 \ \text{kg} \ \ 500 \ \text{g} \\ \hline \end{array}$$

07 다음 중 들이를 <u>잘못</u> 나타낸 것은 어느 것일까요? ……………………… (   )

① 5200 mL = 5 L 200 mL
② 2 L 40 mL = 2400 mL
③ 3600 mL = 3 L 600 mL
④ 7 L 450 mL = 7450 mL
⑤ 6090 mL = 6 L 90 mL

08 ☐ 안에 알맞은 수를 써넣으세요.

6000 mL + 1300 mL

= ☐ L ☐ mL

5
들이와 무게

09 무게가 1 t보다 무거운 것을 모두 찾아 기호를 쓰세요.

> ㉠ 어미 코끼리 한 마리
> ㉡ 자전거 5대
> ㉢ 세탁기 1대
> ㉣ 트럭 2대

( )

10 수조에 물을 가득 채우려면 각 컵으로 그림과 같은 횟수만큼 물을 가득 채워 부어야 합니다. 수조의 들이는 ㉯ 컵 들이의 몇 배일까요?

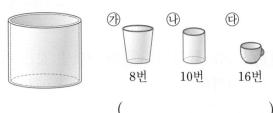

㉮ 8번 ㉯ 10번 ㉰ 16번

( )

11 두 상자의 무게를 각각 재어 나타낸 것입니다. 무게의 차는 몇 kg 몇 g일까요?

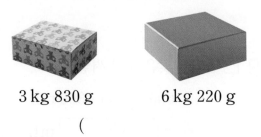

3 kg 830 g   6 kg 220 g

( )

12 수조, 물병, 주전자에 물을 가득 채운 후 모양과 크기가 같은 작은 컵에 옮겨 담은 컵의 수를 나타낸 것입니다. 들이가 적은 것부터 순서대로 쓰세요.

	수조	물병	주전자
컵의 수(개)	22	10	13

( )

13 물통에 물을 지영이는 1080 mL, 나희는 1 L 40 mL를 담았습니다. 누가 얼마나 더 많이 담았을까요?

( ), ( )

14 가장 무거운 무게와 가장 가벼운 무게의 합은 몇 kg 몇 g일까요?

> 9 kg 480 g   9520 g   9 kg 92 g

( )

15 □ 안에 알맞은 수를 써넣으세요.

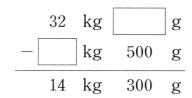

	32	kg		g
−		kg	500	g
	14	kg	300	g

서술형

16 항아리에 가득 찬 물을 1 L씩 5번 덜어 내었더니 700 mL가 남았습니다. 항아리의 들이는 몇 L 몇 mL인지 풀이 과정을 쓰고 답을 구하세요.

풀이

답 _____

17 파인애플은 멜론보다 몇 g 더 무거울까요?

파인애플   멜론

(   )

18 페인트가 3 L 있었습니다. 그중 1 L 600 mL를 사용했다면 남은 페인트는 몇 L 몇 mL일까요?

(   )

19 ㉮ 그릇에 물을 가득 채워 수조에 4번 부은 뒤 수조의 물을 ㉯ 그릇에 가득 담아 2번 덜어 내면 수조에 남은 물의 양은 몇 L 몇 mL일까요?

㉮   ㉯
500 mL   300 mL

(   )

서술형

20 아버지의 몸무게는 72 kg 200 g이고, 준호의 몸무게는 아버지보다 38 kg 100 g 더 가볍습니다. 아버지의 몸무게와 준호의 몸무게의 합은 몇 kg 몇 g인지 풀이 과정을 쓰고 답을 구하세요.

풀이

답 _____

5

들이와 무게

01 페인트를 소정이는 2 L 500 mL, 민기는 2050 mL 샀습니다. 페인트를 더 많이 산 사람은 누구인지 구하세요.

❶ 소정이가 산 페인트는 몇 mL일까요?

(   )

❷ □ 안에 알맞은 수를 써넣고 들이를 비교하여 ○ 안에 >, =, <를 알맞게 써넣으세요.

소정이가 산 페인트   민기가 산 페인트

□ mL   ○   2050 mL

❸ 페인트를 더 많이 산 사람은 누구일까요?

(   )

02 어머니께서 돼지고기 2 kg 100 g과 소고기 1600 g을 사 오셨습니다. 어머니께서 사 오신 돼지고기와 소고기는 모두 몇 kg 몇 g인지 구하세요.

❶ 어머니께서 사 오신 소고기는 몇 kg 몇 g일까요?

(   )

❷ 어머니께서 사 오신 돼지고기와 소고기는 모두 몇 kg 몇 g일까요?

$$\begin{array}{r} 2 \text{ kg } \quad 100 \text{ g} \\ + \square \text{ kg } \quad \square \text{ g} \\ \hline \square \text{ kg } \quad \square \text{ g} \end{array}$$

(   )

03 ㉮와 ㉯ 중에서 어느 것이 더 무거운지 구하세요.

> ㉮ 2 kg 600 g＋2 kg 400 g
> ㉯ 7 kg 400 g－2 kg 200 g

❶ ㉮의 계산 결과는 몇 kg일까요?

(   )

❷ ㉯의 계산 결과는 몇 kg 몇 g일까요?

(   )

❸ ㉮와 ㉯ 중 더 무거운 것의 기호를 쓰세요.

(   )

5

들이와 무게

04 식혜를 준형이는 1 L 250 mL 마셨고 다희는 준형이보다 400 mL 더 적게 마셨습니다. 두 사람이 마신 식혜는 모두 몇 L 몇 mL인지 구하세요.

❶ 다희가 마신 식혜는 몇 mL일까요?

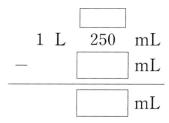

(   )

❷ 두 사람이 마신 식혜는 모두 몇 L 몇 mL일까요?

(   )

01 음료수를 수호는 1 L 200 mL, 민하는 1080 mL 샀습니다. 음료수를 더 많이 산 사람은 누구인지 풀이 과정을 쓰고 답을 구하세요.

풀이

🔍 **어떻게 풀까요?**

• 민하가 산 음료수의 들이를 ■ L ▲ mL로 나타내어서 많고 적음을 비교해도 됩니다.

답 _____

02 어머니께서 시루떡 2 kg 200 g과 송편 1400 g을 사 오셨습니다. 어머니께서 사 오신 떡은 모두 몇 kg 몇 g인지 풀이 과정을 쓰고 답을 구하세요.

풀이

🔍 **어떻게 풀까요?**

• 시루떡과 송편의 무게의 단위의 표현을 같게하여 두 무게의 합을 구합니다.

답 _____

03 ㉮와 ㉯ 중에서 어느 것이 더 가벼운지 풀이 과정을 쓰고 답을 구하세요.

㉮ 1 kg 300 g+2 kg 700 g
㉯ 5 kg 800 g−2 kg 100 g

풀이

🔍 **어떻게 풀까요?**

• ㉮와 ㉯의 무게를 각각 구한 후 더 가벼운 것을 찾아봅니다.

답 _____

04 수정과를 소영이는 1 L 150 mL 마셨고 원석이는 소영이보다 500 mL 더 적게 마셨습니다. 두 사람이 마신 수정과는 모두 몇 L 몇 mL인지 풀이 과정을 쓰고 답을 구하세요.

풀이

어떻게 풀까요?

• 원석이가 마신 수정과의 양을 먼저 구하고 두 사람이 마신 수정과의 양을 구합니다.

답 _____

5

들이와 무게

05 주스가 3 L 900 mL 있었습니다. 그중에서 수민이가 300 mL, 동현이가 400 mL를 마셨습니다. 남은 주스는 몇 L 몇 mL인지 풀이 과정을 쓰고 답을 구하세요.

풀이

어떻게 풀까요?

• 수민이와 동현이가 마신 주스의 양을 먼저 구한 후 처음 있던 주스의 양에서 뺍니다.

• 3 L 900 mL에서 수민이와 동현이가 마신 주스의 양을 차례대로 빼서 구할 수도 있습니다.

답 _____

• 스피드 정답표 **11쪽**, 정답 및 풀이 **42쪽**

오답률 19%

01 나타내는 들이가 다른 것의 기호를 쓰세요.

> ㉠ 2 L 500 mL
> ㉡ 2050 mL
> ㉢ 2 L 50 mL

( )

오답률 27%

04 미라는 하루에 1 L 580 mL씩 우유를 마십니다. 미라가 2일 동안 마신 우유는 모두 몇 L 몇 mL일까요?

( )

오답률 21%

02 저울을 사용하여 오이, 당근, 양파의 무게를 비교하고 있습니다. 오이, 당근, 양파 중에서 가장 무거운 채소는 무엇일까요?

( )

오답률 54%

05 그림을 보고 빈 바구니의 무게는 몇 kg 몇 g인지 구하세요.

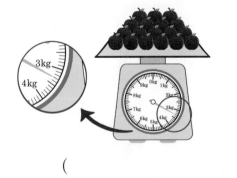

( )

오답률 26%

03 두 무게의 합과 차는 각각 몇 kg 몇 g일까요?

| 2 kg 300 g | 5 kg 800 g |

합 ( )
차 ( )

6

자료의 정리

개념 **1** 표를 보고 내용 알아보기

운동회에서 하고 싶은 경기

경기	줄다리기	달리기	공 굴리기	합계
학생 수(명)	8	10	6	24

● 표를 보고 알 수 있는 내용
  · 가장 많은 학생들이 하고 싶은 경기는 달리기입니다.
  · 가장 적은 학생들이 하고 싶은 경기는 공 굴리기입니다.
  · 가장 많은 학생들이 하고 싶은 경기부터 순서대로 쓰면 달리기, 줄다리기, 공 굴리기입니다.

> 자료를 정리하여 표로 나타내면 조사한 내용을 한눈에 알기 쉽습니다.

개념 **2** 자료를 수집하여 표로 나타내기

● 자료를 수집하여 표로 나타낼 수 있습니다.
  ㉠ 우리 반 학생들이 좋아하는 간식을 조사하였습니다.

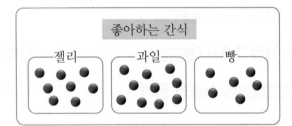

좋아하는 간식

좋아하는 간식

간식	젤리	과일	빵	합계
학생 수(명)	8	❶	6	24

● 표를 그릴 때 유의할 점
  ① 조사 항목 수에 따라 칸을 나누고 조사 내용에 맞게 빈칸을 채웁니다.
  ② 합계가 맞는지 확인합니다.

개념 **3** 그림그래프 알아보기

그림그래프: 알려고 하는 수(조사한 수)를 그림으로 나타낸 그래프

도서관에서 책을 빌려간 학생 수

요일	학생 수
월	☺ ☺ ☺ ☺ ☺ ☺ ☺
화	☺ ☺ ☺ ☺
수	☺ ☺ ☺ ☺
목	☺ ☺ ☺ ☺ ☺
금	☺ ☺ ☺ ☺ ☺

☺ 10명 ☺ 1명

개념 **4** 그림그래프로 나타내기

● 그림그래프로 나타내기 위해 생각할 점
  ① 그림을 몇 가지로 할지
  ② 어떤 그림으로 나타낼지
  ③ 그림으로 정한 단위는 어떻게 할지
● 표를 보고 그림그래프로 나타내기

좋아하는 과목

과목	국어	수학	사회	과학	합계
학생 수(명)	11	13	12	10	46

❷

과목	학생 수
국어	☺ ☺
수학	☺ ☺ ☺ ☺
사회	☺ ☺ ☺
과학	☺

☺ 10명
☺ 1명

| 정답 | ❶ 10 ❷ 좋아하는 과목

▶ 표를 보고 내용 알아보기
~ 자료를 수집하여 표로 나타내기

스피드 정답표 11쪽, 정답 및 풀이 43쪽

[01 ~ 05] 운동회에서 하고 싶은 경기를 조사하여 표로 나타내었습니다. 물음에 답하세요.

운동회에서 하고 싶은 경기

경기	박 터뜨리기	공 굴리기	줄다리기	합계
학생 수(명)	62	48	70	180

01 가장 많은 학생들이 하고 싶은 경기는 무엇일까요?

( )

02 박 터뜨리기를 선택한 학생은 공 굴리기를 선택한 학생보다 몇 명 더 많을까요?

( )

03 조사한 내용을 여학생과 남학생으로 나누어 표를 만들었습니다. 빈칸에 알맞은 수를 써넣으세요.

운동회에서 하고 싶은 경기

경기	박 터뜨리기	공 굴리기	줄다리기	합계
여학생 수(명)	30		25	
남학생 수(명)	32	20		

04 운동회에서 가장 많은 여학생들이 하고 싶은 경기는 무엇일까요?

( )

05 운동회에서 가장 많은 남학생들이 하고 싶은 경기는 무엇일까요?

( )

[06 ~ 10] 준호네 반 학생들이 좋아하는 동물을 조사하였습니다. 물음에 답하세요.

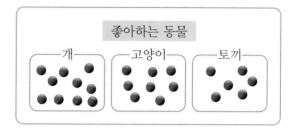

06 조사한 것은 무엇일까요?

( )

07 자료를 수집한 대상은 누구일까요?

( )

08 조사한 자료를 보고 표로 나타내어 보세요.

좋아하는 동물

동물	개	고양이	토끼	합계
학생 수(명)				

09 가장 많은 학생들이 좋아하는 동물은 무엇일까요?

( )

10 좋아하는 동물별 학생 수가 가장 많은 것과 가장 적은 것의 학생 수의 차는 몇 명일까요?

( )

6
자료의 정리

[01 ~ 06] 지수네 모둠에서 올해에 읽은 동화책의 수를 조사하여 나타낸 그래프입니다. 물음에 답하세요.

올해에 읽은 동화책의 수

이름	동화책의 수
지수	
소현	
유미	
주원	

📖10권 📖1권

01 위와 같은 그래프를 무엇이라고 할까요?

( )

02 그림 📖과 📖은 각각 몇 권을 나타내고 있을까요?

📖 : ☐ 권, 📖 : ☐ 권

03 올해에 동화책을 가장 많이 읽은 사람은 누구일까요?

( )

04 올해에 동화책을 가장 적게 읽은 사람은 누구일까요?

( )

05 지수는 올해에 동화책을 몇 권 읽었을까요?

( )

06 4명이 읽은 동화책은 모두 몇 권일까요?

( )

[07 ~ 09] 과일가게에 있는 과일의 수를 조사하여 표로 나타내었습니다. 물음에 답하세요.

과일의 수

과일	귤	배	사과	합계
과일 수(개)	24	30	23	77

07 표를 보고 그림그래프를 그릴 때 그림그래프의 그림을 몇 가지로 나타내는 것이 좋을까요?

( )

08 표를 보고 그림그래프를 완성해 보세요.

과일의 수

과일	과일의 수
귤	◎ ◎ ○ ○ ○ ○
배	
사과	

◎10개 ○1개

09 과일의 수가 많은 과일부터 순서대로 쓰세요.

( )

10 과수원별 귤 수확량을 조사하여 나타낸 표를 보고 그림그래프를 그려 보세요.

과수원별 귤 수확량

과수원	가	나	다	합계
수확량 (상자)	25	18	20	63

과수원별 귤 수확량

과수원	수확량
가	
나	
다	

10상자 1상자

단원평가 1회

자료의 정리

점수

스피드 정답표 12쪽, 정답 및 풀이 43쪽

[01~04] 영수네 모둠 학생들이 좋아하는 동물을 조사하여 나타낸 것입니다. 물음에 답하세요.

좋아하는 동물

진호	나영	혜선	영수	수지
찬영	민환	연지	하은	새롬

🦆 : 오리 🐿 : 다람쥐 🐱 : 고양이 🐶 : 강아지

01 영수가 좋아하는 동물은 무엇일까요?

( )

02 조사한 학생은 모두 몇 명일까요?

( )

03 조사한 자료를 보고 표로 나타내어 보세요.

좋아하는 동물

동물	오리	다람쥐	고양이	강아지	합계
학생 수(명)					

04 영수네 모둠 학생들이 가장 좋아하는 동물은 무엇일까요?

( )

[05~08] 농장별 염소 수를 조사하여 나타낸 그래프입니다. 물음에 답하세요.

농장별 염소 수

농장	염소 수
가	🐐🐐🐐🐐🐐
나	🐐🐐🐐🐐🐐🐐🐐🐐
다	🐐🐐🐐🐐🐐
라	🐐🐐

🐐 10마리 🐐 1마리

05 위와 같은 그래프를 무엇이라고 할까요?

( )

06 다 농장에서 기르는 염소는 몇 마리일까요?

( )

07 염소가 가장 많은 농장은 어느 농장일까요?

( )

08 염소가 가장 적은 농장은 어느 농장일까요?

( )

6

자료의 정리

[09~11] 학교별 심은 꽃의 수를 조사하여 나타낸 표입니다. 물음에 답하세요.

학교별 심은 꽃의 수

학교	온누리	구름	사랑	한솔	합계
꽃의 수(송이)		22	19	24	100

09 온누리 학교에서 심은 꽃은 몇 송이일까요?

( )

10 표를 보고 그림그래프를 그려 보세요.

학교별 심은 꽃의 수

학교	꽃의 수
온누리	
구름	
사랑	
한솔	

🌼 10송이   🌸 1송이

11 꽃을 가장 적게 심은 학교는 어느 학교일까요?

( )

[12~14] 윤서네 반에 있는 색종이가 색깔별로 몇 장인지 조사하여 표로 나타내었습니다. 물음에 답하세요.

색깔별 색종이 수

색깔	빨간색	파란색	초록색	노란색	합계
색종이 수(장)	29	32		25	100

12 초록색 색종이는 몇 장일까요?

( )

13 가장 많은 색종이는 무슨 색깔일까요?

( )

14 빨간색 색종이는 노란색 색종이보다 몇 장 더 많을까요?

( )

[15~17] 민수네 마을의 목장에서 일주일 동안 생산한 우유의 양을 조사하여 표로 나타내었습니다. 물음에 답하세요.

목장별 우유 생산량

목장	가	나	다	라	합계
생산량(kg)	43	51	37	32	163

15 표를 보고 그림그래프를 그릴 때 그림을 몇 가지로 나타내는 것이 좋을지 말해 보세요.

_____

_____

16 표를 보고 그림그래프를 그려 보세요.

목장별 우유 생산량

목장	우유 생산량
가	
나	
다	
라	

🥛10 kg 🍶1 kg

17 우유 생산량이 많은 목장부터 순서대로 써 보세요.

(   )

[18~19] 주영이네 아파트 동별 학생 수를 그림그래프로 나타내었습니다. 물음에 답하세요.

아파트 동

동	학생 수
101동	☺ ☺ ☺ ☺ ☺ ☺
102동	☺ ☺ ☺ ☺ ☺ ☺ ☺ ☺
103동	☺ ☺ ☺ ☺ ☺ ☺
104동	☺ ☺ ☺

☺10명 ☺ 1명

18 가장 많은 학생이 사는 동은 몇 동이고, 몇 명인지 구하세요.

(,   )

19 102동과 103동에 사는 학생 수의 차는 몇 명일까요?

(   )

20 지수네 반 학생들이 좋아하는 민속놀이를 조사하였습니다. 표를 보고 알 수 있는 내용을 2가지 써 보세요.

좋아하는 민속놀이

민속놀이	연날리기	제기차기	윷놀이	팽이치기	합계
학생 수 (명)	8	5	6	9	28

① _____

_____

② _____

_____

단원평가 2회

자료의 정리

점수

스피드 정답표 12쪽, 정답 및 풀이 44쪽

[01 ~ 04] 영은이네 반 학생들이 좋아하는 운동을 조사한 것입니다. 물음에 답하세요.

좋아하는 운동

01 조사한 자료를 보고 표로 나타내어 보세요.

좋아하는 운동

운동	⚽ 축구	⚾ 야구	🏀 농구	🪢 줄넘기	합계
학생 수 (명)					

02 조사한 학생은 모두 몇 명일까요?

( )

03 가장 많은 학생들이 좋아하는 운동은 무엇일까요?

( )

04 좋아하는 운동별 학생 수를 알아보려고 할 때 자료와 표 중에서 어느 것이 더 편리할까요?

( )

[05 ~ 07] 학교별로 심은 나무 수를 조사하여 나타낸 그림그래프입니다. 물음에 답하세요.

학교별 심은 나무 수

학교	나무 수
우정	🌳🌳🌳🌳🌱🌱🌱🌱🌱
미래	🌳🌳🌳🌱🌱
소망	🌳🌳🌳🌱🌱🌱🌱
천재	🌳🌳🌳🌱🌱🌱🌱🌱🌱

🌳 10그루 🌱 1그루

05 미래 학교는 나무를 몇 그루 심었을까요?

( )

06 나무를 가장 적게 심은 학교는 어느 학교일까요?

( )

07 나무를 가장 많이 심은 학교와 가장 적게 심은 학교의 나무 수의 차를 구하세요.

( )

[08 ~ 09] 도영이네 반 학생들이 좋아하는 간식을 조사하였습니다. 물음에 답하세요.

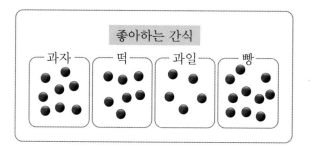

08 조사한 것은 무엇일까요?

( )

09 조사한 자료를 보고 표로 나타내어 보세요.

좋아하는 간식

간식	과자	떡	과일	빵	합계
학생 수(명)					

[10 ~ 11] 민주네 반 학생들이 도서관에서 빌려 간 책의 수를 그림그래프로 나타내었습니다. 물음에 답하세요.

빌려 간 책의 수

월	책의 수
9월	
10월	
11월	

📕10권 📘1권

10 그림 📕과 📘은 각각 몇 권을 나타낼까요?

📕 ( )

📘 ( )

11 9월, 10월, 11월에 빌려 간 책의 수를 차례대로 쓰세요.

( ), ( ), ( )

[12 ~ 14] 명수네 학교 3학년의 반별 학급문고 수를 조사하여 나타낸 표와 그림그래프입니다. 물음에 답하세요.

반별 학급문고 수

반	1	2	3	4	합계
책 수(권)	340		370	430	1400

반별 학급문고 수

반	학급문고 수
1	
2	
3	
4	

📖100권 📗10권

12 2반의 학급문고는 몇 권일까요? ( )

① 240권 ② 430권
③ 260권 ④ 340권
⑤ 370권

13 그림그래프에서 3반에는 그림을 각각 몇 개씩 그려야 할까요?

📖 ( )

📗 ( )

14 위 표와 그림그래프를 완성해 보세요.

[15~17] 윤주네 아파트 동별 남학생 수를 그림그래프로 나타내었습니다. 물음에 답하세요.

아파트 동별 남학생 수

동	학생 수
527동	☺ ☺ ☺ ☺ ☺ ☺
528동	☺ ☺ ☺ ☺ ☺ ☺ ☺
529동	☺ ☺ ☺ ☺ ☺ ☺ ☺
530동	☺ ☺ ☺ ☺

☺ 10명 ☺ 1명

15 가장 많은 남학생이 사는 동은 몇 동이고, 몇 명일까요?

(,   )

16 가장 적은 남학생이 사는 동은 몇 동이고, 몇 명일까요?

(,   )

17 527동과 529동에 사는 남학생 수의 차는 몇 명일까요?

(   )

[18~20] 해주네 가족이 4일 동안 캔 조개의 무게를 조사하여 표로 나타내었습니다. 물음에 답하세요.

요일별 캔 조개의 무게

요일	월	화	수	목	합계
무게(kg)	53	41	36	33	163

18 표를 보고 그림그래프를 그릴 때 그림을 몇 가지로 나타내는 것이 좋을지 써 보세요.

_____

_____

19 표를 보고 그림그래프를 그려 보세요.

요일별 캔 조개의 무게

요일	조개의 무게
월	
화	
수	
목	

🐚 10 kg 🐚 1 kg

20 캔 조개의 무게가 많은 요일부터 순서대로 써 보세요.

(   )

스피드 정답표 12쪽, 정답 및 풀이 45쪽

[01 ~ 03] 효리네 가족이 오늘 딴 호두 수를 조사하여 나타낸 그림그래프입니다. 물음에 답하세요.

가족별 딴 호두 수

가족	호두 수
아버지	◎◎◎◎◎●●●
어머니	◎◎◎●●●●●
효리	◎◎●●●●●●●

◎10개 ●1개

01 효리가 딴 호두는 몇 개일까요? (   )

① 3개   ② 11개
③ 27개   ④ 29개
⑤ 32개

02 호두를 가장 많이 딴 사람과 가장 적게 딴 사람의 호두 수의 차는 몇 개일까요?

·······························(   )

① 6개   ② 9개
③ 12개   ④ 18개
⑤ 24개

03 효리네 가족이 오늘 딴 호두는 모두 몇 개일까요?

(   )

[04 ~ 07] 마을별 감자 생산량을 조사하여 나타낸 그림그래프입니다. 물음에 답하세요.

마을별 감자 생산량

마을	감자 생산량
별빛	◯◯○○○○
달빛	◯◯◯○○○○○○
아름	◯◯◯◯○○○○
누리	◯◯◯○○

◯100 kg ○10 kg

04 별빛 마을의 감자 생산량은 몇 kg일까요?

(   )

05 어느 마을의 감자 생산량이 가장 많을까요?

(   )

06 재하가 사는 마을은 감자 생산량이 두 번째로 많습니다. 재하가 사는 마을의 이름을 쓰세요.

(   )

07 감자 생산량이 가장 많은 마을과 가장 적은 마을의 감자 생산량의 차는 몇 kg일까요?

(   )

[08~11] 어느 편의점에서 일주일 동안 판매한 과자의 수를 조사하여 표로 나타내었습니다. 물음에 답하세요.

과자별 판매량

과자	A	B	C	D	합계
판매량(개)	42	31	56	37	166

08 표를 보고 그림을 그릴 때 그림은 몇 가지로 나타내는 것이 좋은지 써 보세요.

_____

_____

09 표를 보고 그림그래프를 완성해 보세요.

과자별 판매량

과자	판매량
A	
B	
C	
D	

🍪10개 🍪1개

10 판매량이 많은 과자부터 순서대로 써 보세요.

( )

11 과자 판매량이 가장 많은 과자와 가장 적은 과자의 차는 몇 개일까요?

( )

[12~15] 마을별 소의 수를 조사하여 나타낸 그림그래프입니다. 물음에 답하세요.

마을별 소의 수

마을	소의 수
가	
나	
다	
라	

🐄10마리 🐄1마리

12 소가 가장 많은 마을은 어느 마을일까요?

( )

13 소가 가장 많은 마을은 가장 적은 마을보다 몇 마리 더 많을까요?

( )

14 네 마을에 있는 소는 모두 몇 마리일까요?

( )

15 소가 많은 마을부터 순서대로 써 보세요.

( )

16 진영이네 반 학생들이 좋아하는 운동을 조사하였습니다. 조사한 자료를 보고 표를 완성해 보세요.

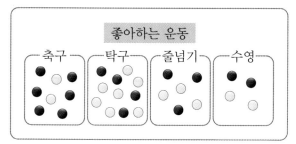

좋아하는 운동

● 남학생   ○ 여학생

좋아하는 운동

운동	축구	탁구	줄넘기	수영	합계
남학생 수(명)					
여학생 수(명)					

[17~18] 성주네 학교 4학년부터 6학년까지 학년별 휴대 전화를 가지고 있는 학생 수를 조사하여 나타낸 그림그래프입니다. 물음에 답하세요.

학년별 휴대 전화를 가지고 있는 학생 수

학년	학생 수
4학년	▯▯▯▯▯▯ ▫▫
5학년	▯▯▯▯▯▯▯ ▫▫▫▫
6학년	▯▯▯▯▯▯▯▯ ▫▫▫

▯ 10명 ▫ 1명

17 휴대 전화를 가지고 있는 5학년 학생은 4학년 학생보다 몇 명 더 많을까요?

(   )

18 4학년부터 6학년까지 휴대 전화를 가지고 있는 학생은 모두 몇 명일까요?

(   )

19 과수원별 딸기 수확량을 조사하여 표로 나타내었습니다. 표를 보고 그림그래프를 완성해 보세요.

과수원별 딸기 수확량

과수원	행복	상큼	푸른	풍성	합계
수확량 (상자)	230	150		180	800

과수원별 딸기 수확량

과수원	딸기 수확량
행복	🍓🍓🍓🍓🍓
상큼	
푸른	
풍성	

🍓 100상자 🍓 10상자

서술형

20 수일이네 반과 지혜네 반 학생들이 함께 현장 체험 학습으로 가고 싶은 장소를 조사하였습니다. 수일이네 반과 지혜네 반은 어디로 현장 체험 학습을 가면 좋을지 고르고, 그 이유를 써 보세요.

가고 싶은 장소

장소	박물관	미술관	식물원	과학관	합계
수일이네 반 학생 수(명)	5	6	5	11	27
지혜네 반 학생 수(명)	4	6	10	8	28

(   )

이유 _____

_____

스피드 정답표 13쪽, 정답 및 풀이 46쪽

[01~04] 승준이네 반 학생들이 좋아하는 계절을 조사하여 나타낸 것입니다. 물음에 답하세요.

좋아하는 계절

이름	계절	이름	계절	이름	계절
승준	봄	진수	여름	승하	봄
윤희	가을	영애	가을	지수	겨울
미영	여름	민수	봄	근영	여름
정수	가을	지웅	여름	만기	가을
은주	겨울	희도	여름	소영	여름
광윤	여름	준혁	봄	채린	봄

01 조사한 자료를 보고 표로 나타내어 보세요.

좋아하는 계절

계절	봄	여름	가을	겨울	합계
학생 수(명)					

02 조사한 학생은 모두 몇 명일까요?

( )

03 여름을 좋아하는 학생은 몇 명일까요?

( )

04 좋아하는 학생 수가 많은 순서대로 계절을 써 보세요.

( )

[05~06] 정민이네 아파트 동별 자전거 수를 그림 그래프로 나타내었습니다. 물음에 답하세요.

아파트 동별 자전거 수

동	자전거 수
810동	🚲🚲 🖍🖍
811동	🖍🖍🖍🖍🖍🖍🖍🖍
812동	🚲 🖍🖍🖍🖍🖍
813동	🚲 🖍

🚲 10대   🖍 1대

05 가장 많은 자전거가 있는 동은 몇 동이고, 몇 대인가요?

(,)

06 813동과 811동에 있는 자전거 수의 차는 몇 대인가요?

( )

07 주영이네 반 학생들이 좋아하는 과목을 조사하였습니다. 조사한 자료를 보고 표를 완성해 보세요.

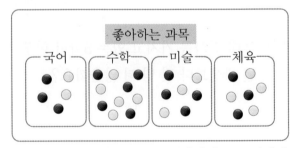

좋아하는 과목

●남학생 ○여학생

좋아하는 과목

과목	국어	수학	미술	체육	합계
남학생 수(명)					
여학생 수(명)					

[08~11] 어느 생선 가게에서 일주일 동안 종류별 팔린 생선의 수를 조사하여 나타낸 그림그래프입니다. 물음에 답하세요.

종류별 팔린 생선의 수

생선	생선의 수
꽁치	
갈치	
조기	
동태	
고등어	

🐟100마리   🐟10마리

08 가장 적게 팔린 생선은 무엇이고, 몇 마리일까요?

(,   )

09 많이 팔린 생선부터 순서대로 써 보세요.

(   )

10 꽁치와 동태는 모두 몇 마리 팔렸을까요?

(   )

11 이 가게에서 생선을 많이 팔려면 어느 생선을 가장 많이 준비하는 것이 좋을까요?

(   )

[12~15] 편의점별 생수 판매량을 조사하여 나타낸 표입니다. 물음에 답하세요.

편의점별 생수 판매량

편의점	가	나	다	라	합계
판매량(병)	43	38	45		160

12 라 편의점의 음료수 판매량은 몇 병일까요?

(   )

13 표를 보고 그림그래프를 그려 보세요.

편의점별 생수 판매량

편의점	판매량
가	
나	
다	
라	

🍶10병   🍶1병

14 생수 판매량이 많은 곳부터 순서대로 기호를 써 보세요.

(   )

15 그림그래프를 보고 알 수 있는 내용을 2가지 써 보세요.

① _____

_____

② _____

_____

6 자료의 정리

[16~17] 모둠별로 받은 칭찬 붙임딱지 수를 표로 나타내었습니다. 물음에 답하세요.

모둠별 칭찬 붙임딱지 수

모둠	가	나	다	라	합계
칭찬 붙임딱지 수(장)	33	50	42	25	150

16 표를 보고 그림그래프를 완성해 보세요.

모둠	칭찬 붙임딱지 수
가	♥♥♥♡♡♡
나	
다	
라	

♥ 10개 ♡ 1개

17 칭찬 붙임딱지의 수가 라 모둠의 2배인 모둠을 쓰세요.

(   )

서술형

18 수빈이네 반과 예지네 반 학생들이 함께할 운동 경기로 좋아하는 운동을 조사하였습니다. 어떤 운동 경기를 하면 좋을지 고르고, 그 이유를 써 보세요.

좋아하는 운동

운동	농구	야구	배구	피구	합계
수빈이네 반 학생 수(명)	4	6	4	11	25
예지네 반 학생 수(명)	3	5	10	8	26

(   )

이유

[19~20] 지혜와 슬기가 학예회에 참가한 학생 수를 종목별로 조사하여 표로 나타내었습니다. 물음에 답하세요.

학예회 종목

종목	합창	합주	연극	무용	합계
학생 수(명)	47	19	26	38	130

19 지혜는 조사한 표를 보고 그림그래프를 그리려고 합니다. 그림그래프를 완성해 보세요.

학예회 종목

종목	학생 수
합창	
합주	
연극	
무용	

◎ 10명 ○ 1명

20 슬기는 조사한 표를 보고 ◎는 10명, △는 5명, ○는 1명으로 나타내었습니다. 슬기가 그린 그림그래프에서 단위가 늘어나서 편리한 점을 써 보세요.

학예회 종목

종목	학생 수
합창	◎◎◎◎△○○
합주	◎△○○○○
연극	◎◎△○
무용	◎◎◎△○○○

◎ 10명 △ 5명 ○ 1명

스피드 정답표 13쪽, 정답 및 풀이 46쪽

[01 ~ 04] 농장별 돼지 수를 조사하여 나타낸 그림그래프입니다. 물음에 답하세요.

농장별 돼지 수

농장	돼지 수
가	🐷 🐷 🐖 🐖
나	🐷 🐷 🐷 🐖 🐖 🐖 🐖
다	🐷 🐷 🐷 🐷
라	🐷 🐖 🐖 🐖 🐖 🐖

🐷 10마리   🐖 1마리

01 나 농장의 돼지는 몇 마리일까요?

(   )

02 그림그래프를 보고 표를 완성하세요.

농장별 돼지 수

농장	가	나	다	라	합계
돼지 수(마리)					

03 다 농장은 라 농장보다 돼지가 몇 마리 더 많을까요?

(   )

04 전체 돼지 수를 알아보는 데 그림그래프와 표 중 어느 것이 더 편리할까요?

(   )

[05 ~ 08] 채린이네 반 학생들이 학교 도서관에서 빌려간 책의 수를 그림그래프로 나타내었습니다. 물음에 답하세요.

빌려 간 책의 수

월	책의 수
3월	📘 📘 📘 📘 📖 📖
4월	📘 📘 📘 📘 📘 📖 📖 📖
5월	📘 📘 📖 📖 📖
6월	📘 📘 📖

📘 10권   📖 1권

05 그림 📘과 📖은 각각 몇 권을 나타낼까요?

📘 (   )

📖 (   )

06 3월에 빌려 간 책은 몇 권일까요?

(   )

07 책을 가장 적게 빌려 간 달은 몇 월일까요?

(   )

08 빌려간 책의 수가 6월의 2배인 달은 몇 월일까요?

(   )

[09~10] 정아네 학교 학생들이 여행하고 싶은 장소를 조사하여 나타낸 표와 그림그래프입니다. 물음에 답하세요.

여행하고 싶은 장소

장소	제주도	경주	울릉도	부산	합계
학생 수(명)	21	17	47	25	110

여행하고 싶은 장소

장소	학생 수
제주도	
경주	ⓧ ⓧ ⓧ ⓧ ⓧ ⓧ ⓧ ⓧ
울릉도	
부산	

ⓧ 10명 ⓧ 1명

09 그림그래프에서 제주도를 여행하고 싶은 학생은 10명 그림과 1명 그림을 각각 몇 개씩 그려야 할까요?

10명 그림 (   )

1명 그림 (   )

10 위 표를 보고 그림그래프를 완성해 보세요.

11 마을별 초등학생 수를 조사하여 나타낸 그림그래프입니다. 초등학생 수가 별 마을의 2배인 마을은 어느 마을일까요?

마을별 초등학생 수

마을	초등학생 수
해	☺ ☺ ☺ ☺ ☺ ☺ ☺
달	☺ ☺ ☺ ☺ ☺ ☺
별	☺ ☺ ☺ ☺ ☺ ☺ ☺ ☺

☺ 10명 ☺ 1명

(   )

[12~14] 과수원별 사과 생산량을 조사하여 표로 나타내었습니다. 물음에 답하세요.

과수원별 사과 생산량

과수원	가	나	다	라	합계
생산량(상자)		580		540	2230

12 가와 다 과수원에서 생산한 사과는 모두 몇 상자일까요?

(   )

13 가 과수원은 다 과수원보다 150상자 더 많이 생산했습니다. 가 과수원에서 생산한 사과는 몇 상자일까요?

(   )

14 표를 보고 그림그래프를 그려 보세요.

과수원별 사과 생산량

과수원	사과 생산량
가	
나	
다	
라	

🍎100상자 🍎10상자

15 마을별로 기르고 있는 오리 수를 조사하여 나타낸 그림그래프입니다. 그림그래프를 보고 알 수 있는 내용을 2가지 써 보세요.

마을별 오리 수

마을	오리 수
가	
나	
다	
라	

🐤10마리 🐤1마리

① _____

_____

② _____

_____

[16~17] 오늘 어느 음식점에서 팔린 음식의 수를 조사하여 나타낸 그림그래프입니다. 물음에 답하세요.

팔린 음식의 수

| 비빔밥 | 냉면 | 삼계탕 | 된장찌개 |

🥣10그릇 🥣1그릇

16 많이 팔린 음식부터 순서대로 써 보세요.

( )

17 가장 많이 팔린 음식과 가장 적게 팔린 음식의 차는 몇 그릇일까요?

( )

[18~20] 초등학교에 입학한 신입생 수 150명을 마을별로 조사하여 나타낸 표입니다. 물음에 답하세요.

초등학교에 입학한 신입생 수

마을	해님	바람	달님	구름	합계
신입생 수(명)		42		33	

18 달님 마을의 신입생 수가 해님 마을의 2배라고 합니다. 표를 완성해 보세요.

19 표를 보고 그림그래프를 완성해 보세요.

마을	신입생 수
해님	
바람	
달님	
구름	

😊10명 😊1명

20 초등학교에 입학한 신입생 수가 바람 마을보다 적은 마을을 모두 찾아 쓰려고 합니다. 풀이 과정을 쓰고 답을 구하세요.

풀이

답 _____

01 연찬이네 반 학생들이 여행 가고 싶은 나라를 조사하였습니다. 물음에 답하세요.

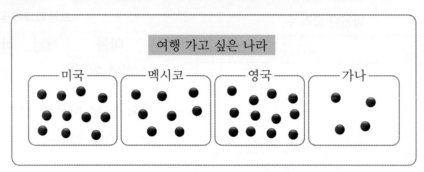

여행 가고 싶은 나라

| 미국 | 멕시코 | 영국 | 가나 |

❶ 자료를 수집한 대상은 누구일까요?

(   )

❷ 조사한 자료를 보고 표로 나타내어 보세요.

나라	미국	멕시코	영국	가나	합계
학생 수(명)					

02 마을별 쌀 생산량을 조사하여 나타낸 그림그래프입니다. 물음에 답하세요.

마을별 쌀 생산량

마을	쌀 생산량
금빛	
은빛	
해님	
달님	

🌾 100 kg
🌱 10 kg

❶ 가장 많은 쌀을 생산한 마을은 어디일까요?

금빛 마을 230 kg, 은빛 마을 [   ] kg, 해님 마을 [   ] kg, 달님 마을 [   ] kg

이므로 가장 많은 쌀을 생산한 마을은 [   ] 마을입니다.

❷ 네 마을의 쌀 생산량은 모두 몇 kg인지 구하세요.

(   )

03 천재초등학교에 방문한 외국인 학생들이 좋아하는 한국 음식을 조사하였습니다. 외국인 학생들에게 음식을 주려고 한다면 어떤 음식을 준비하는 것이 좋을지 생각해 보세요.

외국인 학생들이 좋아하는 한국 음식

음식	불고기	김치전	비빔밥	갈비탕	합계
학생 수(명)	63	45	52	40	200

❶ 표를 보고 그림그래프를 그려 보세요.

외국인 학생들이 좋아하는 한국 음식

음식	학생 수
불고기	
김치전	
비빔밥	
갈비탕	

😀10명
🙂 1명

❷ 그림그래프를 보고 어떤 음식을 준비하면 좋을지 써 보세요.

---

04 학년별로 야영에 참가한 학생 수를 조사하여 나타낸 그림그래프입니다. 3학년과 5학년의 학생 수의 합은 4학년과 6학년의 학생 수의 합보다 6명 적습니다. 야영에 참가한 4학년은 몇 명인지 구하세요.

야영에 참가한 학생 수

학년	학생 수
3학년	😀 😀 😀
4학년	
5학년	😀 🙂 😀
6학년	😀 😀 🙂 🙂 😀

😀10명
🙂 1명

❶ 3학년과 5학년 학생 수의 합과 4학년과 6학년의 학생 수의 합을 차례대로 구하세요.

(3학년)+(5학년)=30+☐=☐(명), (4학년)+(6학년)=☐+6=☐(명)

❷ 4학년 학생은 몇 명인지 구하고 그림그래프를 완성해 보세요.

6학년 학생은 23명이므로 4학년 학생은 ☐−23=☐(명)입니다.

6단원 서술형평가

풀이 과정을 직접 쓰는

자료의 정리

점수

01 각 공장별 자동차 생산량을 나타낸 그림그래프입니다. 그림그래프를 보고 알 수 있는 사실을 2가지 써 보세요.

🔍 **어떻게 풀까요?**

· 공장별 자동차 생산량을 알아보고 각각의 수의 크기를 비교해 봅니다.

공장별 자동차 생산량

공장	자동차 생산량
가	🚗🚗🚗🚗
나	🚗🚗🚗🚗🚗
다	🚗🚗🚗🚗
라	🚗🚗🚗🚗🚗🚗🚗

🚗 1000대
🚗 100대

① _____

② _____

02 어느 마을의 과수원별 사과나무 수를 조사하여 나타낸 표입니다. 표를 보고 그림그래프를 완성해 보세요.

🔍 **어떻게 풀까요?**

· 사과나무의 수를 나타내는 두 자리 수에서 십의 자리 수는 10그루 그림의 개수로, 일의 자리 수는 1그루 그림의 개수로 나타냅니다.

과수원별 사과나무 수

과수원	푸른	햇살	달콤	신선	합계
사과나무 수(그루)	34	22	45	19	120

과수원	사과나무 수
푸른	
햇살	
달콤	
신선	

🌳 10그루
🌳 1그루

03 지후네 학교 3학년 반별 학생 수를 조사하여 나타낸 그림그래프입니다. 어느 반 학생이 가장 많은지 풀이 과정을 쓰고 답을 구하세요.

반별 학생 수

 10명
 1명

1반 2반 3반 4반 5반 6반

어떻게 풀까요?

• 각 반의 학생 수를 세어 수의 크기를 비교할 수 있습니다.

• 10명을 나타내는 그림의 수가 같으므로 1명을 나타내는 그림의 수가 가장 많은 반을 찾아 봅니다.

풀이

답 _____

04 어느 지역의 마을별 단감 생산량을 조사하여 나타낸 그림그래프입니다. 네 마을에서 생산된 단감은 모두 몇 상자인지 풀이 과정을 쓰고 답을 구하세요.

마을별 단감 생산량

마을	생산량
반달	
햇살	
사랑	
은하	

 100상자
 10상자

어떻게 풀까요?

• 각 마을의 단감 생산량을 세어 합을 구할 수 있습니다.

• 100상자를 나타내는 그림의 수, 10상자를 나타내는 그림의 수가 몇 개인지 구하여 단감 생산량의 합을 구할 수 있습니다.

풀이

답 _____

6

자료의 정리

• 스피드 정답표 **14쪽**, 정답 및 풀이 **48쪽**

오답률 23%

01 하루 동안 농장별 감자 수확량을 조사하여 그림그래프로 나타낸 것입니다. 하루 동안 다 농장에서 수확한 감자는 몇 kg일까요?

농장별 감자 수확량

농장	수확량
가	🥔🥔🥔🥔🥔
나	🥔🥔🥔🥔🥔
다	🥔🥔🥔🥔🥔🥔🥔🥔🥔
라	🥔🥔🥔🥔🥔

🥔 100 kg
🥔 10 kg

(　　　　　　　)

오답률 24%

02 어느 자전거 판매점에서 1년 동안 팔린 자전거 수를 색깔별로 조사하여 표로 나타내었습니다. 다음 표를 보고 바르게 말한 학생의 이름을 쓰세요.

1년 동안 팔린 자전거 수

색깔	흰색	남색	회색	검은색	합계
자전거 수(대)	18		35	26	100

- 소영: 1년 동안 남색 자전거가 가장 많이 팔렸어.
- 윤지: 1년 동안 흰색 자전거가 가장 적게 팔렸어.
- 다정: 남색 자전거는 1년 동안 31대 팔렸어.

(　　　　　　　)

오답률 35%

03 하루 동안 농장별 옥수수 수확량을 조사하여 그림그래프로 나타낸 것입니다. 하루 동안 라 농장은 다 농장보다 옥수수를 몇 kg 더 많이 수확했을까요?

농장별 옥수수 수확량

농장	수확량
가	🌽🌽🌽🌽
나	🌽🌽🌽
다	🌽🌽🌽🌽🌽🌽
라	🌽🌽🌽🌽🌽

🌽 100 kg
🌽 10 kg

(　　　　　　　)

오답률 38%

04 진호네 모둠 학생들이 읽은 책의 수는 모두 57권입니다. 소영이가 읽은 책의 수는 몇 권일까요?

학생별 읽은 책의 수

이름	책의 수
진호	📗📙📙
준우	📗📙📙📙📙
예슬	📗📗📙📙📙
소영	

📗 10권
📙 1권

(　　　　　　　)

오답률 48%

05 지은이네 학교 3학년 학생 88명이 배우고 싶은 악기를 조사하여 그림그래프로 나타내었습니다. 첼로를 배우고 싶어 하는 학생은 몇 명일까요?

배우고 싶은 악기별 학생 수

악기	학생 수
피아노	😊😊😊😊😊😊
플루트	😊😊😊😊😊😊
첼로	
드럼	😊😊😊😊

😊 10명
😊 1명

(　　　　　　　)

배움으로 행복한 내일을 꿈꾸는
천재교육 커뮤니티 안내 · · ·

교재 안내부터 구매까지 한 번에!
천재교육 홈페이지

자사가 발행하는 참고서, 교과서에 대한 소개는 물론
도서 구매도 할 수 있습니다. 회원에게 지급되는 별을 모아
다양한 상품 응모에도 도전해 보세요!

다양한 교육 꿀팁에 깜짝 이벤트는 덤!
천재교육 인스타그램

천재교육의 새롭고 중요한 소식을 가장 먼저 접하고 싶다면?
천재교육 인스타그램 팔로우가 필수!
깜짝 이벤트도 수시로 진행되니 놓치지 마세요!

수업이 편리해지는
천재교육 ACA 사이트

오직 선생님만을 위한, 천재교육 모든 교재에 대한 정보가 담긴
아카 사이트에서는 다양한 수업자료 및 부가 자료는 물론
시험 출제에 필요한 문제도 다운로드하실 수 있습니다.

https://aca.chunjae.co.kr

천재교육을 사랑하는 샘들의 모임
천사샘

학원 강사, 공부방 선생님이시라면 누구나 가입할 수 있는 천사샘!
교재 개발 및 평가를 통해 교재 검토진으로 참여할 수 있는 기회는 물론
다양한 교사용 교재 증정 이벤트가 선생님을 기다립니다.

아이와 함께 성장하는 학부모들의 모임공간
튠맘 학습연구소

튠맘 학습연구소는 초·중등 학부모를 대상으로 다양한 이벤트와 함께
교재 리뷰 및 학습 정보를 제공하는 네이버 카페입니다.
초등학생, 중학생 자녀를 둔 학부모님이라면 튠맘 학습연구소로 오세요!

수학

단원평가

수학

단원
평가

천재교육

학교 수행평가 완벽 대비

3·2

밀크T 성취도평가
오답 베스트5 수록

정답 및 풀이

수학

단원평가

1 곱셈

풀이는 15쪽에

3쪽 · 쪽지시험 1회

01 848 **02** 396 **03** 852 **04** 339

05 645 **06** 484 **07** 684

08
$$\begin{array}{r} \overset{1}{2}\,2\,4 \\ \times\quad 4 \\ \hline 8\,9\,6 \end{array}$$

09 ( )(○) **10** 372

풀이는 15쪽에

4쪽 · 쪽지시험 2회

01 (위부터) 1800 ; 100 **02** (위부터) 420 ; 10

03 759 **04** 1364 **05** 800 **06** 2520

07 1200, 1500 **08** (선 연결)

09 (○)( ) **10** ㉣

풀이는 15쪽에

5쪽 · 쪽지시험 3회

01 2, 0 ; 1, 0, 0 ; 1, 2, 0 **02** 8, 4 ; 2, 8, 0 ; 3, 6, 4

03 204 **04** 378 **05** 546 **06** 256

07 496 **08**
$$\begin{array}{r} 5\,3 \\ \times\,1\,3 \\ \hline 1\,5\,9 \\ 5\,3\,0 \\ \hline 6\,8\,9 \end{array}$$
09 > **10** 768

풀이는 15쪽에

6쪽 · 쪽지시험 4회

01 1, 0, 8 ; 1, 6, 2, 0 ; 1, 7, 2, 8 **02** 666

03 1428 **04** 2072 **05** 2730 **06** >

07 40 **08** 1080개 **09** 45, 540 **10** 7, 2940

풀이는 16쪽에

7~9쪽 · 단원평가 1회 난이도 A

01 339 **02** 1200 **03** 1, 2 ; 1, 6, 0 ; 1, 7, 2

04 250, 75, 325 **05** 860 **06** 1810

07 480 **08** 1200, 2000 **09** 520

10 1710, 4560 **11** ( )( )(○)

12 325×4=1300 ; 1300

13
$$\begin{array}{r} \overset{2}{2}\,2\,8 \\ \times\quad 3 \\ \hline 6\,8\,4 \end{array}$$

14 <

15 434, 1302

16 1593

17

1005	662	520
420	248	663
342	1705	1205

18 14, 784

19 2450원

20 3825 m

풀이는 16쪽에

10~12쪽 · 단원평가 2회 난이도 A

01 396 **02** 129, 129 **03** ㉠

04 1, 3, 5 ; 2, 7, 0 ; 4, 0, 5 **05** 4096

06 2160 **07** 115 **08** 5040

09
$$\begin{array}{r} \overset{1}{7}\,3\,1 \\ \times\quad 5 \\ \hline 3\,6\,5\,5 \end{array}$$

10 144, 216, 252

11 (선 연결) **12** ( )(○)( )

13
$$\begin{array}{r} 2\,3 \\ \times\,5\,7 \\ \hline 1\,6\,1 \\ 1\,1\,5\,0 \\ \hline 1\,3\,1\,1 \end{array}$$

14 > **15** 668

16 ㉢, ㉠, ㉡ **17** 1098원

18 3

19 12×49=588 ; 588개

20 270원

풀이는 17쪽에

13~15쪽 · 단원평가 3회 난이도 B

01 (위부터) 6 ; 6, 0, 20 ; 6, 7, 8

02 48 ; 4800

03 (위부터) 8 ; 280, 20 ; 392 **04** 4776

05 203 **06** 1370 **07** ④ **08** 988

09 ㉡ **10** ㉢ **11** (○)( )

12 (위부터) 2346, 1242, 2040 **13** 318

14 128+128+128+128=512 ; 128×4=512

15 600 cm **16** 77

17 예 정사각형의 네 변의 길이는 모두 같으므로
(정사각형의 네 변의 길이의 합)
=131×4=524 (cm)입니다. ; 524 cm

18 4890원 **19** 3, 6 **20** 7, 4, 6

풀이는 18쪽에

16~18쪽 · 단원평가 4회 난이도 B

01 (위부터) 6 ; 3, 0 ; 9, 3, 6 **02** 240, 168, 408

03 100 **04** 4410 **05** 3159 **06** 5600

07 1786 **08** ( )( )(○) **09** >

10 300, 1200 **11** 361×5=1805 ; 1805

12
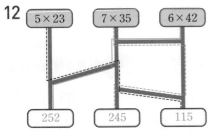

5×23 → 252
7×35 → 245
6×42 → 115

13 (위부터) 1462, 1224, 850

14 60×20=1200 ; 1200개 **15** 396개

16 1320자루 **17** 3 **18** (위부터) 4 ; 6

19 1254원

20 예 (전체 학생 수)=28+29+29+28=114(명)
따라서 색종이는 모두 114×4=456(묶음) 필요
합니다. ; 456묶음

풀이는 19쪽에

19~21쪽 · 단원평가 5회 난이도 C

01 484 **02** (위부터) 1040 ; 10 **03** 1548

04 2888 **05** 50×7에 ○표 **06** 3600

07 2520 **08** (선 연결) **09** > **10** 888

11 ㉣, ㉡, ㉢, ㉠

12
$$\begin{array}{r} 6\,4 \\ \times\ 3\,5 \\ \hline 3\,2\,0 \\ 1\,9\,2\,0 \\ \hline 2\,2\,4\,0 \end{array}$$

13 5

14 예 굵은 선의 길이는 정사각형
한 변 10개와 같으므로 36×10
=360 (cm)입니다. ; 360 cm

15 2898 cm **16** 12×16=192 ; 192

17 215 cm **18** (위부터) 8 ; 4, 2 ; 3, 3, 6

19 4956걸음

20 예 어떤 수를 □라고 하면 □+26=122,
□=122-26, □=96 따라서 바르게 계산하면
96×26=2496입니다. ; 2496

풀이는 19쪽에

22~23쪽 · 단계별로 연습하는 서술형 평가

01 ❶ 7, 21 ; 21일 ❷ 420개

02 ❶ 5, 620 ; 620개 ❷ 25, 400 ; 400개
❸ 1020개

03 ❶ □+35=52 ❷ 17 ❸ 595

04 ❶ 85 ❷ 12 ❸ 1020

풀이는 20쪽에

24~25쪽 · 풀이 과정을 직접 쓰는 서술형 평가

01 예 1주일은 7일이므로 2주일은 2×7=14(일)
입니다.
⇨ 14×30=420(개)이므로 희영이는 2주일 동
안 윗몸일으키기를 모두 420개 하였습니다.
; 420개

02 예 (4상자에 들어 있는 귤의 수)=128×4=512(개)
(27상자에 들어 있는 배의 수)=18×27=486(개)
⇨ 512+486=998(개) ; 998개

03 예 어떤 수를 □라 하면 □-26=35입니다.
□-26=35 ⇨ □=35+26, □=61
바르게 계산하면 61×26=1586입니다. ; 1586

04 예 유미가 만든 가장 큰 두 자리 수는 75이고, 나
머지 수 카드로 만든 가장 작은 두 자리 수는 23입
니다. ⇨ 75×23=1725 ; 1725

05 예 42×51=2142
□=5일 때 37×54=1998, 2142>1998 (×)
□=6일 때 37×64=2368, 2142<2368 (○)
⇨ □ 안에 들어갈 수 있는 수는 6, 7, 8, 9로 모
두 4개입니다. ; 4개

풀이는 20쪽에

26쪽 · 밀크티 성취도평가 오답 베스트 5

01 6, 90, 900 **02** 1550분

03 598자루 **04** 1908

05 6

2 나눗셈

풀이는 21쪽에

30쪽 · 쪽지시험 1회

01 20　**02** 15　**03** 2, 1, 2, 2　**04** 2, 8, 8
05 12　**06** 31　**07** 80÷2에 ◯표
08 14　**09** ·　**10** =

풀이는 21쪽에

31쪽 · 쪽지시험 2회

01 몫, 나머지　**02** (위부터) 8 ; 2, 4 ; 0
03 (위부터) 8 ; 3 ; 3, 2 ; 1　**04** 6···2
05 14···3　**06** 13　**07** 15, 3
08 (◯)( )　**09** ·　**10** 20

풀이는 21쪽에

32쪽 · 쪽지시험 3회

01 2, 6, 0　**02** (위부터) 7 ; 4 ; 4, 2, 7　**03** 198
04 156　**05** 2, 3, 4에 ◯표　**06** 400
07 102, 4　**08** 5, 37
09 35, 2 ; 35, 2　**10** 18, 2 ; 18, 144 ; 144, 2

풀이는 22쪽에

33~35쪽 · 단원평가 1회 · 난이도 A

01 10　**02** (위부터) 2, 1 ; 4 ; 8, 4
03 32, 64, 64　**04** 2, 0 ; 2, 9 ; 2, 3, 9, 0
05 3, 9, 0　**06** 15　**07** 43　**08** 148, 1
09 26　**10** ⑤　**11**

$$\begin{array}{r} 5 \\ 5{\overline{\smash{\big)}\,27}} \\ \underline{2\,5} \\ 2 \end{array}$$

12 <
13 ( )(◯)( )　**14** ·　**15** ㉠
16 □÷4에 ◯표　**17** ㉢　**18** 18개
19 19장 ; 3장　**20** 42개

풀이는 22쪽에

36~38쪽 · 단원평가 2회 · 난이도 A

01 20　**02** (위부터) 3, 30 ; 10　**03** 8, 1
04 2, 1 ; 6 ; 3, 3　**05** 18　**06** 135
07 24, 2　**08** 100　**09** 42, 4　**10** ⑤
11 <　**12** 15, 5　**13** 52÷7에 ◯표
14 41　**15** 72÷3에 ◯표　**16** ③
17 3, 41　**18** 11 m　**19** 9봉지 ; 2개
20 46장

풀이는 23쪽에

39~41쪽 · 단원평가 3회 · 난이도 B

01 10　**02** (위부터) 2, 5 ; 1, 5 ; 1, 5 ; 0
03 10　**04** 12　**05** 12, 2　**06** 17
07 150　**08** 143　**09** ③　**10** ③
11 ( )(◯)( )　**12** ( )(◯)
13 ㉡　**14** ·　**15** 23 cm　**16** 32자루
17 예 87÷9=9···6이므로 리본을 9개 만들 수 있고 6 cm가 남습니다. 따라서 리본을 9개까지 만들 수 있습니다. ; 9개
18 0, 5　**19** (위부터) 9 ; 8 ; 2 ; 2, 7
20 543, 2, 271, 1

풀이는 24쪽에

42~44쪽 · 단원평가 4회 · 난이도 B

01 3, 30　**02** (위부터) 4, 0 ; 2, 4　**03** 6, 2
04 14　**05** 12　**06** 18
07 150···2 ; 4×150=600 ⇨ 600+2=602
08 ④　**09** >　**10** 40÷2에 ◯표
11 32, 16　**12** ⑤　**13** ㉢　**14** 16명
15 28　**16** 45명, 2권
17 예 70÷4=17···2이므로 빵을 접시 17개에 담고 2개가 남습니다. 남은 2개의 빵도 접시에 담아야 하므로 접시는 적어도 17+1=18(개)가 필요합니다. ; 18개
18 47　**19** 7　**20** 4명

풀이는 25쪽에

45~47쪽　　단원평가 5회 난이도 C

01 (위부터) 30 ; 30, 3　　**02** (위부터) 1, 10 ; 10
03 12　　**04** 101　　**05** 11　　**06** 41, 2
07 ④　　**08** ＝　　**09** ④　　**10** ㉣
11 ⑤　　**12** ④　　**13** (선 잇기)　　**14** 37명
15 6　　**16** 1 ; 0 ; 6 ; 0 ; 1, 8
17 ㉮ 전체 색종이는 10장씩 8묶음과 낱장 1장이므로 모두 81장입니다.
　　⇨ (한 사람이 가질 수 있는 색종이 수)
　　　＝81÷3＝27(장) ; 27장
18 26개　　　　　**19** 97, 5, 19, 2
20 ㉮ 45보다 크고 50보다 작은 수는 46, 47, 48, 49입니다. 이 중에서 7로 나누었을 때 나누어떨어지는 수는 49입니다. ; 49

풀이는 25쪽에

48~49쪽　　단계별로 연습하는 서술형 평가

01 ❶ 92, 7, 13, 1　❷ 13, 1　❸ 13명, 1자루
02 ❶ 5, 11 ; 11개　　　❷ 6, 15 ; 15개
　　❸ 26개
03 ❶ 8, 168 ; 168쪽　　❷ 18일, 6쪽
　　❸ 19일
04 ❶ 18장　　❷ 14장　　❸ 252장

풀이는 26쪽에

50~51쪽　　풀이 과정을 직접 쓰는 서술형 평가

01 ㉮ (전체 연필 수)÷(한 사람에게 줄 연필 수)
　　　＝118÷6＝19…4
　　⇨ 19명에게 나누어 줄 수 있고 4자루가 남습니다. ; 19명, 4자루
02 ㉮ (사탕을 담은 봉지 수)＝60÷4＝15(개)
　　(초콜릿을 담은 봉지 수)＝80÷5＝16(개)
　　⇨ 15＋16＝31(개) ; 31개

03 ㉮ (동화책의 전체 쪽수)＝25×7＝175(쪽)
　　⇨ 175÷8＝21…7에서 8쪽씩 읽으면 21일 동안 읽고 7쪽이 남습니다. 남은 7쪽도 읽어야 하므로 동화책을 모두 읽는 데 적어도 21＋1＝22(일)이 걸립니다. ; 22일
04 ㉮ 96÷6＝16이므로 가로 줄에는 타일을 16장 붙일 수 있고, 72÷6＝12이므로 세로 줄에는 타일을 12장 붙일 수 있습니다.
　　⇨ 필요한 타일은 모두 16×12＝192(장)입니다. ; 192장
05 ㉮ 40보다 크고 60보다 작은 수는 41, 42, ……, 59입니다. 7×6＝42, 7×7＝49, 7×8＝56이므로 42, 49, 56은 7로 나누어떨어지므로 모두 3개입니다. ; 3개

풀이는 26쪽에

52쪽　　밀크티 성취도평가 오답 베스트 5

01 ㉡　　　　　**02** 50명
03 19　　　　　**04** ④
05 ③

3　　원

풀이는 27쪽에

55쪽　　쪽지시험 1회

01 중심에 ○표　　**02** 반지름에 ○표
03 중심, 지름　　**04** 점 ㄴ
05 ㉮

06 선분 ㄷㄹ
　　또는 선분 ㄹㄷ
07 선분 ㄷㄹ
　　또는 선분 ㄹㄷ
08 5 cm　　**09** 12 cm　　**10** 14

풀이는 27쪽에

56쪽   쪽지시험 2회

01 (○)(   )(   )   **02** 1, ㅇ

03 예

04

05 점 ㄷ   **06**   **07** 1

08

09   **10**

풀이는 27쪽에

57~59쪽   단원평가 1회   난이도 A

01 점 ㄴ   **02** 반지름   **03** ㉡   **04** ㉢

05 예

06 9   **07** 7 cm

08 14 cm   **09** 2, 3, 1

10 6 cm

11

12 예   **13** ㉢

14   **15** 13 cm   **16** ㉢

17 민주

18 1, 늘어납니다에 ○표

19 4칸   **20** 11 cm

풀이는 28쪽에

60~62쪽   단원평가 2회   난이도 A

01 원   **02** 원의 중심

03 선분 ㄴㅁ 또는 선분 ㅁㄴ

04 선분 ㄴㅁ 또는 선분 ㅁㄴ

05 예   **06** 12 cm   **07** 6 cm

08 4 cm   **09** 20

10   **11** ㉣

1 cm   **12** ㉡

1 cm   **13** 7 cm

14 5개

15   **16** ㉡

17   **18** ①

19 21 cm

20 24 cm

풀이는 29쪽에

63~65쪽   단원평가 3회   난이도 B

01 1개   **02** 나   **03** 4 cm   **04** 15 cm

05 2, 4   **06** 선분 ㄴㄹ 또는 선분 ㄹㄴ

07 ○ ; ×   **08** 7 cm, 14 cm   **09** ㉠

10 선분 ㄴㄷ

11 예

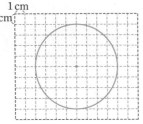

12 5개

13

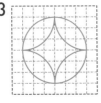

14 14 cm

15 ㉠, ㉢, ㉡

16 12 cm

17 예 원의 반지름이 모눈 1칸씩 늘어나고, 원의 중심이 오른쪽으로 모눈 2칸, 3칸, ……씩 옮겨 가는 규칙입니다.

18 5 cm   **19** 5 cm   **20** 24 cm

풀이는 29쪽에

| **66~68쪽** | 단원평가 4회 난이도 **B** |

01 중심, 지름   **02** 8 cm   **03** ②

04 6   **05** 18   **06** 30 cm

07 ㉢, ㉠, ㉡   **08** 7 cm   **09** 6 cm

10 ①, ③   **11** 4군데   **12** ㉡, ㉢

13

14 ㉡

15 10 cm, 5 cm

16 8 cm   **17** 12 cm

18 8 cm   **19** 18 cm

20 예 사각형 ㄱㄴㄷㄹ의 한 변은 원의 반지름의 2배와 같으므로 5×2=10 (cm)입니다.
사각형 ㄱㄴㄷㄹ의 네 변의 길이는 모두 같으므로 네 변의 길이의 합은 10×4=40 (cm)입니다. ; 40 cm

풀이는 30쪽에

| **69~71쪽** | 단원평가 5회 난이도 **C** |

01 (왼쪽부터) 중심, 지름, 반지름

02 선분 ㄱㄹ 또는 선분 ㄹㄱ

03 예

04 선분 ㄱㄷ 또는 선분 ㄷㄱ

05 1 cm, 1 cm, 1 cm
; 같습니다에 ○표

06 ⑤   **07** 7 cm   **08** 6 cm   **09** 42 cm

10 ④   **11**

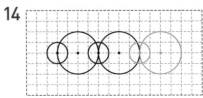

12 3개   **13** ②

14

15 6 cm   **16**

17 예 작은 원의 지름은 큰 원의 반지름과 같으므로 24÷2=12 (cm)입니다. 따라서 작은 원의 반지름은 12÷2=6 (cm)입니다. ; 6 cm

18 6 cm   **19** 11 cm

20 예 색칠한 삼각형은 세 변이 모두 원의 반지름과 같습니다. 원의 반지름은 14÷2=7 (cm)이므로 색칠한 삼각형의 세 변의 길이의 합은 7×3=21 (cm)입니다. ; 21 cm

풀이는 30쪽에

| **72~73쪽** | 단계별로 연습하는 **서술형 평가** |

01 ❶ 20, 10 ; 10 cm   ❷ 7 cm   ❸ 17 cm

02 ❶ 6, 12 ; 12 cm
❷ 12 ; 12 cm   ❸ 48 cm

03 ❶   ❷   ; 5군데

04 ❶ 4, 24 ; 24 cm
❷ 4, 8 ; 8 cm   ❸ 32 cm

풀이는 31쪽에

| **74~75쪽** | 풀이 과정을 직접 쓰는 **서술형 평가** |

01 예 (가 원의 반지름)=5 cm
(나 원의 반지름)=14÷2=7 (cm)
⇨ 5+7=12 (cm) ; 12 cm

02 예 (원의 지름)=(원의 반지름)×2
=12×2=24 (cm)

정사각형의 한 변의 길이는 원의 지름과 같으므로 24 cm입니다.

➾ (정사각형의 네 변의 길이의 합)
   $=24 \times 4 = 96$ (cm) ; 96 cm

03

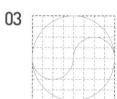

예) 큰 원 1개와 작은 원 2개이므로 컴퍼스의 침을 꽂아야 할 곳은 모두 3군데입니다. ; 3군데

04 예) ㉠의 길이는 파이의 반지름의 6배이므로
$3 \times 6 = 18$ (cm)입니다.
㉡의 길이는 파이의 반지름의 4배이므로
$3 \times 4 = 12$ (cm)입니다.
➾ ㉠+㉡=$18+12=30$ (cm) ; 30 cm

풀이는 31쪽에

| **76쪽** | 밀크티 성취도평가 **오답 베스트 5** |

01 2군데　　　　**02** 21 cm
03 가　　　　　**04** 25 cm
05 10 cm

4 　　　　　　**분수**

풀이는 32쪽에

| **79쪽** | 쪽지시험 1회 |

01 $\frac{1}{5}$　**02** $\frac{3}{5}$　**03** $\frac{4}{5}$　**04** 4
05 3　**06** 2　**07** 10　**08** 5
09 10　**10** 20

풀이는 32쪽에

| **80쪽** | 쪽지시험 2회 |

01 $\frac{3}{2}$　　**02** $\frac{8}{3}$　　**03** $\frac{2}{3}, \frac{5}{3}$
04 $\frac{3}{4}, \frac{5}{4}, \frac{7}{4}$　**05** $\frac{1}{5}, \frac{4}{5}, \frac{7}{5}$　**06** 진
07 가　　　**08** 가　　　**09** 진
10 $\frac{2}{2}, \frac{7}{6}, \frac{8}{3}$에 ○표

풀이는 32쪽에

| **81쪽** | 쪽지시험 3회 |

01 $1\frac{1}{4}$　　**02** $2\frac{2}{3}$　　**03** $1\frac{1}{3}$에 ○표
04 $2\frac{4}{6}$에 ○표　**05** $4\frac{1}{6}$에 ○표　**06** $1\frac{3}{4}$
07 $1\frac{7}{8}$　**08** $3\frac{3}{5}$　**09** $\frac{11}{6}$　**10** $\frac{15}{7}$

풀이는 32쪽에

| **82쪽** | 쪽지시험 4회 |

01 >　**02** <　**03** <　**04** >
05 <　**06** >　**07** >　**08** <
09 >　**10** $1\frac{7}{9}$에 ○표

풀이는 33쪽에

| **83~85쪽** | 단원평가 1회 난이도 Ⓐ |

01 $\frac{1}{3}$　**02** 예)　　　　　**03** 대분수
04 $\frac{4}{7}$　**05** ㉠, ㉢　**06** ㉡, ㉣, ㉲, ㉤
07 $3\frac{3}{4}$　**08** >　**09** $\frac{7}{4}$　**10** 5
11 25　**12** ④
13 예) ●●●●●●○○ ; 6
14 >　**15** $\frac{22}{7}$　**16** $\frac{5}{16}$　**17** $\frac{15}{15}$
18 3시간　**19** 종호　**20** $7\frac{4}{6}$

풀이는 34쪽에

86~88쪽 　단원평가 2회 난이도 A

01 6　　02 예  ; $\frac{1}{6}$

03 ②　　04 $2\frac{3}{5}$

05 $\frac{9}{5}$, $\frac{31}{10}$에 ○표, $3\frac{7}{10}$, $2\frac{2}{6}$에 △표　06 6

07 4　　08 $\frac{20}{19}$, $\frac{6}{6}$, $\frac{16}{13}$에 ○표　09 12

10 $2\frac{1}{3}$　　11 $\frac{1}{5}$, $\frac{2}{5}$, $\frac{3}{5}$, $\frac{4}{5}$

12 < ; $1\frac{7}{8}$, $1\frac{3}{8}$　　13 >　　14 4 cm

15 $\frac{13}{8}$　　16 $\frac{7}{7}$에 ○표　　17 $6\frac{3}{5}$ m

18 3개　　19 $\frac{3}{2}$, $\frac{4}{2}$, $\frac{4}{3}$　　20 $2\frac{3}{4}$, $3\frac{2}{4}$, $4\frac{2}{3}$

풀이는 34쪽에

89~91쪽 　단원평가 3회 난이도 B

01 $7\frac{3}{5}$, 7과 5분의 3　　02 $\frac{5}{9}$　　03 $\frac{7}{4}$

04 (△)(○)(□)(△)　　05 18

06 $2\frac{1}{4}$　　07 5 ; 예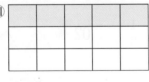

08

09 (○)(×)(○)　　10 <　　11 <

12 찬우　　13 6개　　14 $\frac{9}{7}$　　15 4개

16 ㉡, ㉠, ㉢, ㉣　　17 2, 3, 4, 5

18 사과　　19 3개

20 예 자연수 부분에 가장 큰 수인 8을 놓고 나머지
수로 진분수를 만듭니다.

자연수 부분: 8, 분수 부분: $\frac{4}{5}$ ⇨ $8\frac{4}{5}$; $8\frac{4}{5}$

풀이는 35쪽에

92~94쪽 　단원평가 4회 난이도 B

01 예 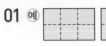　　02 ③

03 $\frac{2}{3}$

04 $\frac{3}{5}$, $\frac{7}{5}$　　05 $\frac{10}{7}$, $\frac{7}{7}$, $\frac{12}{9}$　　06 $1\frac{1}{7}$

07 $\frac{27}{7}$　　08 >　　09 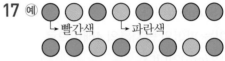　　10 ④

11 학교　　12 30　　13 ㉠　　14 ③

15 10개　　16 6개

17 예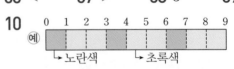

18 4개　　19 $\frac{4}{4}$, $\frac{5}{4}$, $\frac{6}{4}$, $\frac{7}{4}$

20 예 구하려는 진분수를 $\frac{□}{△}$라고 하면 □<△이므

로 △+□=10, △−□=4입니다.

따라서 △=7, □=3이므로 구하려는 진분수는

$\frac{3}{7}$입니다. ; $\frac{3}{7}$

풀이는 36쪽에

95~97쪽 　단원평가 5회 난이도 C

01 $\frac{4}{7}$, $\frac{10}{9}$, $1\frac{3}{5}$　　02 $\frac{3}{6}$

03 1과 8분의 5　　04 $2\frac{3}{4}$, $\frac{11}{4}$　　05 <

06 <　　07 >　　08 3　　09 6

10 예

11 3개　　12 (위부터) $3\frac{10}{12}$, $\frac{67}{13}$　　13 $\frac{1}{9}$, $\frac{2}{9}$

14 15　　15 $\frac{7}{4}$　　16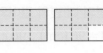

17 $3\frac{2}{3}$, $\frac{10}{3}$, $2\frac{1}{3}$　　18 $\frac{7}{8}$

19 예 자연수 부분에 가장 작은 수인 2를 놓고 나머지
두 수로 진분수를 만듭니다.

자연수 부분: 2, 분수 부분: $\frac{3}{5}$ ⇨ $2\frac{3}{5}$

따라서 $2\frac{3}{5}$을 가분수로 나타내면 $2\frac{3}{5}=\frac{13}{5}$입니다.

; $\frac{13}{5}$

20 예 $\frac{19}{6}=3\frac{1}{6}$이고 $\frac{35}{6}=5\frac{5}{6}$입니다.

따라서 $3\frac{1}{6}$보다 크고 $5\frac{5}{6}$보다 작은 자연수는 4, 5 입니다. ; 4, 5

풀이는 36쪽에

| **98~99쪽** | 단계별로 연습하는 **서술형 평가** |

01 ❶ 4개   ❷ 12개

02 ❶ 5   ❷ 4   ❸ 9

03 ❶ $\frac{37}{4}$ cm   ❷ 수아

04 ❶ 6개   ❷ 5개   ❸ 19개

풀이는 37쪽에

| **100~101쪽** | 풀이 과정을 직접 쓰는 **서술형 평가** |

01 예 사탕 21개를 똑같이 7묶음으로 나눈 것 중의 한 묶음은 3이므로 4묶음은 $3\times4=12$입니다. 따라서 서윤이가 동생에게 준 사탕은 12개입니다. ; 12개

02 예 3은 9의 $\frac{1}{3}$이고, 6은 9의 $\frac{2}{3}$이므로 ㉠은 3이고, ㉡은 2입니다.

따라서 ㉠+㉡=3+2=5입니다. ; 5

03 예 주하가 사용한 테이프의 길이를 가분수로 나타내면 자연수 1은 $\frac{9}{9}$이므로 $1\frac{1}{9}$은 $\frac{10}{9}$과 같습니다.

$\frac{10}{9}$과 $\frac{12}{9}$의 크기를 비교하면 10<12이므로

$\frac{10}{9}<\frac{12}{9}$ ⇨ $1\frac{1}{9}<\frac{12}{9}$입니다.

따라서 테이프를 더 많이 사용한 사람은 리하입니다. ; 리하

04 예 빨간색 구슬은 40의 $\frac{1}{5}$이므로 8개이고, 파란색 구슬은 40의 $\frac{1}{8}$이므로 5개입니다.

따라서 노란색 구슬은 $40-8-5=27$(개)입니다. ; 27개

풀이는 37쪽에

| **102쪽** | 밀크티 성취도평가 **오답 베스트 5** |

01 $\frac{19}{8}$ **02** 딸기

03 ⑤   **04** 14개

05 $3\frac{2}{3}$

---

5 들이와 무게

풀이는 38쪽에

| **106쪽** | 쪽지시험 1회 |

01 ( )(○)   **02** (○)( )   **03** ㉮에 ○표

04 ㉰에 ○표   **05** 3 L

06 200 mL   **07** 3 L

08 1000   **09** 5   **10** 4020

풀이는 38쪽에

| **107쪽** | 쪽지시험 2회 |

01 mL   **02** L   **03** mL

04 3, 700   **05** 6, 800   **06** 3, 800

07 2, 200   **08** 6, 100   **09** (○)( )

10 (○)( )

풀이는 38쪽에

| **108쪽** | 쪽지시험 3회 |

01 4 kg ; 4 킬로그램

02 200 g ; 200 그램

03 5t ; 5 톤   **04** 7000

05 1000, 1500

06 kg   **07** g   **08** 3, 900

09 1, 600   **10** 8, 600

풀이는 38쪽에

109~111쪽   단원평가 1회 난이도 A

01 7L   **02** (○)(   )(   )

03 3000   **04** 2 L

05 900 g   **06** ㉮   **07** 2, 2000, 700, 2700

08 5, 70   **09** 4600   **10** mL에 ○표

11 t에 ○표   **12** 지우개, 2개

13 ⤫   **14** =   **15** ③

16 5 kg 100 g

17 8, 1000, 5, 900   **18** 수조   **19** 200 g

20 750 kg

풀이는 39쪽에

112~114쪽   단원평가 2회 난이도 A

01 40 kg   **02** 5 리터 800 밀리리터

03 (   )(○)

04 주전자   **05** 3 L 250 mL

06 2000, 2, 2, 900   **07** ③   **08** 수조

09 mL   **10** 8, 300   **11** 9, 900   **12** ㉠

13 ㉡   **14** 2 kg 300 g   **15** 5 L 500 mL

16 ㉠   **17** 1 ; 9, 300   **18** 2 L 150 mL

19 1 kg 780 g   **20** 29 kg 800 g

풀이는 39쪽에

115~117쪽   단원평가 3회 난이도 B

01 6 리터 200 밀리리터   **02** ②, ⑤   **03** 5000

04 L에 ○표   **05** ㉣, ㉠, ㉡, ㉢

06 (○)(   )(   )   **07** =   **08** kg

09 ②   **10** ㉡   **11** 13, 900

12 2400, 2, 400   **13** ㉡, ㉣, ㉠, ㉢

---

14 12 L 300 mL   **15** 200 mL

16 29 L 700 mL   **17** ㉡

18 44 kg 320 g   **19** 1 kg 800 g

20 ㉖ 저울의 접시는 더 무거운 쪽으로 내려갑니다.
사과는 배보다 가볍고 토마토는 사과보다 가볍습니다. 따라서 가장 가벼운 것은 토마토입니다.
; 토마토

풀이는 40쪽에

118~120쪽   단원평가 4회 난이도 B

01 물병   **02** 1, 톤   **03** 3000 mL

04 4000, 4200 **05** ③   **06** 3 kg 200 g

07 >   **08** ②   **09** 13 kg 900 g

10 11 kg 950 g   **11** 유나

12 종이컵   **13** 냄비

14 4, 200 ; 3, 850 ; ㉠   **15** ㉡, ㉠, ㉣, ㉢

16 12 L 220 mL   **17** 7 kg 390 g

18 ㉡   **19** 5 L 500 mL

20 ㉖ (지우의 몸무게)+(영호의 몸무게)
= 45 kg 600 g + 38 kg 200 g
= 83 kg 800 g
⇨ (아버지의 몸무게)
= 83 kg 800 g − 12 kg 300 g
= 71 kg 500 g ; 71 kg 500 g

풀이는 41쪽에

121~123쪽   단원평가 5회 난이도 C

01 주전자   **02** 8000   **03** 9008   **04** mL

05 >   **06** 14 kg 700 g   **07** ②   **08** 7, 300

09 ㉠, ㉣   **10** 10배   **11** 2 kg 390 g

12 물병, 주전자, 수조   **13** 지영, 40 mL

14 18 kg 612 g   **15** (위부터) 800, 18

16 ㉖ 1 L씩 5번 ⇨ 5 L
따라서 항아리의 들이는
5 L+700 mL=5 L 700 mL입니다.
; 5 L 700 mL

17 500 g   **18** 1 L 400 mL   **19** 1 L 400 mL

---

20 예 (준호의 몸무게)

＝(아버지의 몸무게)－38 kg 100 g

＝72 kg 200 g－38 kg 100 g

＝34 kg 100 g

⇨ (아버지의 몸무게)＋(준호의 몸무게)

＝72 kg 200 g＋34 kg 100 g

＝106 kg 300 g ; 106 kg 300 g

풀이는 41쪽에

124~125쪽　　단계별로 연습하는 **서술형 평가**

01 ❶ 2500 mL　　❷ 2500, ＞　　❸ 소정

02 ❶ 1 kg 600 g

❷ 1, 600, 3, 700 ; 3 kg 700 g

03 ❶ 5 kg　　❷ 5 kg 200 g　　❸ ㉣

04 ❶ 1000, 400, 850 ; 850 mL

❷ 2 L 100 mL

풀이는 42쪽에

126~127쪽　　풀이 과정을 직접 쓰는 **서술형 평가**

01 예 수호가 산 음료수는

1 L 200 mL＝1 L＋200 mL

＝1000 mL＋200 mL

＝1200 mL입니다.

1200 mL＞1080 mL이므로 음료수를 더 많이

산 사람은 수호입니다. ; 수호

02 예 어머니께서 사 오신 송편은

1400 g＝1000 g＋400 g

＝1 kg＋400 g

＝1 kg 400 g입니다.

따라서 어머니께서 사 오신 떡은 모두

2 kg 200 g＋1 kg 400 g＝3 kg 600 g입니다.

; 3 kg 600 g

03 예 ㉮ 1 kg 300 g＋2 kg 700 g＝4 kg

㉯ 5 kg 800 g－2 kg 100 g＝3 kg 700 g

⇨ 4 kg＞3 kg 700 g이므로 더 가벼운 것은 ㉯

입니다. ; ㉯

04 예 원석이가 마신 수정과는

1 L 150 mL－500 mL＝650 mL입니다.

따라서 두 사람이 마신 수정과는 모두

1 L 150 mL＋650 mL＝1 L 800 mL입니다.

; 1 L 800 mL

05 예 수민이와 동현이가 마신 주스는 모두

300 mL＋400 mL＝700 mL입니다.

따라서 남은 주스는

3 L 900 mL－700 mL＝3 L 200 mL입니다.

; 3 L 200 mL

풀이는 42쪽에

128쪽　　밀크티 성취도평가 **오답 베스트 5**

01 ㉠　　　　　　　　**02** 당근

03 8 kg 100 g, 3 kg 500 g

04 3 L 160 mL　　**05** 1 kg 600 g

6　　**자료의 정리**

풀이는 43쪽에

131쪽　　**쪽지시험 1회**

01 줄다리기　　　　**02** 14명

03 (위부터) 28, 83 ; 45, 97

04 박 터뜨리기　　　**05** 줄다리기

06 예 준호네 반 학생들이 좋아하는 동물

07 준호네 반 학생　　**08** 10, 8, 6, 24

09 개　　　　　　　**10** 4명

풀이는 43쪽에

132쪽　　**쪽지시험 2회**

01 그림그래프　**02** 10, 1　**03** 유미

04 주원　　　　**05** 33권　　**06** 113권

07 2가지

08

과일의 수

과일	과일의 수
귤	◎ ◎ ○ ○ ○ ○
배	◎ ◎ ◎
사과	◎ ◎ ○ ○ ○

09 배, 귤, 사과

10

과수원별 귤 수확량

과수원	수확량
가	🧱 🧱 🧱 🧱 🧱 🧱 🧱
나	🧱 🧱 🧱 🧱 🧱 🧱 🧱 🧱
다	🧱 🧱

풀이는 43쪽에

133~135쪽　　단원평가 1회 난이도 A

01 강아지　**02** 10명　**03** 2, 1, 3, 4, 10

04 강아지　**05** 그림그래프　**06** 34마리

07 다 농장　**08** 나 농장　**09** 35송이

10

학교별 심은 꽃의 수

학교	꽃의 수
온누리	✿ ✿ ✿ ✿ ✿ ✿ ✿
구름	✿ ✿ ✿
사랑	✿ ✿ ✿ ✿ ✿ ✿ ✿ ✿ ✿
한솔	✿ ✿ ✿ ✿ ✿ ✿

11 사랑 학교　**12** 14장　**13** 파란색　**14** 4장

15 예 10 kg과 1 kg인 2가지로 나타내는 것이 좋을
것 같습니다.

16

목장별 우유 생산량

목장	우유 생산량
가	🥛 🥛 🥛 🥛 🥛 🥛 🥛
나	🥛 🥛 🥛 🥛 🥛 🥛
다	🥛 🥛 🥛 🥛 🥛 🥛 🥛
라	🥛 🥛 🥛 🥛

17 나 목장, 가 목장, 다 목장, 라 목장

18 101동, 33명　　　　　**19** 7명

20 ① 예 연날리기를 좋아하는 학생은 8명입니다.

② 예 팽이치기를 좋아하는 학생 수가 가장 많습니다.

풀이는 44쪽에

136~138쪽　　단원평가 2회 난이도 A

01 5, 3, 4, 3, 15　　**02** 15명

03 축구　**04** 표　**05** 42그루

06 천재 학교　**07** 18그루

08 예 도영이네 반 학생들이 좋아하는 간식

09 8, 7, 5, 10, 30　　**10** 10권, 1권

11 34권, 46권, 23권　**12** ③　**13** 3개, 7개

14 260 ;

반별 학급문고 수

반	학급문고 수
1	📗 📗 📗 🔲 🔲 🔲 🔲
2	📗 📗 🔲 🔲 🔲 🔲 🔲 🔲
3	📗 📗 🔲 🔲 🔲 🔲 🔲 🔲 🔲
4	📗 📗 📗 📗 🔲 🔲 🔲

15 527동, 33명　**16** 528동, 16명　**17** 8명

18 예 10 kg과 1 kg인 2가지로 나타내는 것이 좋을
것 같습니다.

19

요일별 캔 조개의 무게

요일	조개의 무게
월	🐚 🐚 🐚 🐚 🐚 🐚 🐚
화	🐚 🐚 🐚 🐚 🐚
수	🐚 🐚 🐚 🐚 🐚 🐚
목	🐚 🐚 🐚 🐚 🐚

20 월요일, 화요일, 수요일, 목요일

풀이는 45쪽에

139~141쪽　　단원평가 3회 난이도 B

01 ④　**02** ⑤　**03** 129개　**04** 240 kg

05 아름 마을　**06** 달빛 마을　**07** 190 kg

08 예 10개와 1개인 2가지로 나타내는 것이 좋을 것
같습니다.

09

과자별 판매량

과자	판매량
A	
B	
C	
D	

10 C, A, D, B **11** 25개 **12** 라 마을

13 29마리 **14** 114마리

15 라 마을, 나 마을, 가 마을, 다 마을

16 6, 4, 3, 2, 15 ; 2, 7, 3, 2, 14

17 12명 **18** 219명

19

과수원별 딸기 수확량

과수원	딸기 수확량
행복	
상큼	
푸른	
풍성	

20 과학관 ; ㉖ 두 반의 학생 수를 합한 수가 가장 큰 과학관으로 현장 체험 학습을 가면 좋을 것 같습니다.

풀이는 46쪽에

142~144쪽 단원평가 4회 난이도 B

01 5, 7, 4, 2, 18 **02** 18명 **03** 7명

04 여름, 봄, 가을, 겨울 **05** 810동, 22대

06 3대 **07** (위부터) 3, 5, 4, 3, 15 ; 2, 5, 3, 4, 14

08 동태, 140마리 **09** 고등어, 갈치, 꽁치, 조기, 동태

10 460마리 **11** 고등어 **12** 34병

13

편의점별 생수 판매량

편의점	판매량
가	
나	
다	
라	

14 다, 가, 나, 라

15 ① ㉖ 생수를 가장 많이 판 곳은 다 편의점입니다.
② ㉖ 생수를 가장 적게 판 곳은 라 편의점입니다.

16

모둠별 칭찬 붙임딱지 수

모둠	칭찬 붙임딱지 수
가	
나	
다	
라	

17 나 모둠

18 피구 ; ㉖ 두 반의 학생 수를 합한 수가 가장 큰 피구로 운동 경기를 하면 좋을 것 같습니다.

19

학예회 종목

종목	학생 수
합창	
합주	
연극	
무용	

20 ㉖ 2개 단위로 그릴 때보다 그림의 수가 줄었습니다.

풀이는 46쪽에

145~147쪽 단원평가 5회 난이도 C

01 34마리 **02** 22, 34, 40, 16, 112 **03** 24마리

04 표 **05** 10권, 1권 **06** 42권

07 6월 **08** 3월 **09** 2개, 1개

10

여행하고 싶은 장소

장소	학생 수
제주도	
경주	
울릉도	
부산	

11 해 마을 **12** 1110상자 **13** 630상자

14

과수원별 사과 생산량

과수원	사과 생산량
가	
나	
다	
라	

15 ① 예 나 마을에서 기르고 있는 오리는 22마리입니다.

② 예 라 마을이 가 마을보다 12마리 더 많이 기르고 있습니다.

16 된장찌개, 삼계탕, 냉면, 비빔밥

17 19그릇　　　　　**18** 25, 50, 150

19

초등학교에 입학한 신입생 수

마을	신입생 수
해님	☺☺☺☺☺☺☺
바람	☺☺☺☺☺☺
달님	☺☺☺☺☺
구름	☺☺☺☺☺

20 예 25<33<42<50이므로 신입생 수가 바람 마을보다 적은 마을은 해님 마을과 구름 마을입니다.

; 해님 마을, 구름 마을

풀이는 47쪽에

148~149쪽　단계별로 연습하는 **서술형 평가**

01 ❶ 예 연찬이네 반 학생

❷ 여행 가고 싶은 나라 ; 11, 8, 12, 4, 35

02 ❶ 370, 310, 180, 은빛　　❷ 1090 kg

03 ❶

외국인 학생들이 좋아하는 한국 음식

음식	학생 수
불고기	☺☺☺☺☺☺☺☺☺
김치전	☺☺☺☺☺☺☺☺☺
비빔밥	☺☺☺☺☺☺
갈비탕	☺☺☺☺

❷ 예 가장 많은 학생들이 좋아하는 음식인 불고기를 준비하면 좋을 것 같습니다.

04 ❶ 12, 42 ; 42, 48　　❷ 48, 25

;

야영에 참가한 학생 수

학년	학생 수
3학년	☺☺☺
4학년	☺☺☺☺☺☺
5학년	☺☺☺
6학년	☺☺☺☺☺

풀이는 48쪽에

150~151쪽　풀이 과정을 직접 쓰는 **서술형 평가**

01 ① 예 나 공장의 자동차 생산량은 5000대입니다.

② 예 자동차 생산량이 많은 공장부터 순서대로 쓰면 나, 다, 라, 가입니다.

02

과수원별 사과나무 수

과수원	사과나무 수
푸른	🌳🌳🌳🌳🌳🌳
햇살	🌳🌳🌳
달콤	🌳🌳🌳🌳🌳🌳🌳🌳🌳
신선	🌳🌳🌳🌳🌳🌳

03 예 1반: 25명, 2반: 24명, 3반: 26명, 4반: 23명, 5반: 25명, 6반: 27명입니다.

27>26>25>24>23이므로 학생이 가장 많은 반은 6반입니다.

; 6반

04 예 반달 마을: 370상자, 햇살 마을: 520상자, 사랑 마을: 630상자, 은하 마을: 450상자

⇨ 370+520+630+450=1970(상자)

; 1970상자

풀이는 48쪽에

152쪽　밀크티 성취도평가 **오답 베스트 5**

01 190 kg　　　　**02** 윤지

03 80 kg　　　　**04** 8권

05 25명

1 곱셈

01 848 **02** 396 **03** 852

04 339 **05** 645 **06** 484

07 684 **08**

```
          1
      2 2 4
  ×       4
      8 9 6
```

09 (　)(○) **10** 372

01 212×4는 백 모형 8개, 십 모형 4개, 일 모형 8개이므로 848입니다.

04
```
    1 1 3
  ×     3
    3 3 9
```

05
```
      1
    2 1 5
  ×     3
    6 4 5
```

06 121×4=484

07
```
      2
    1 1 4
  ×     6
    6 8 4
```

08 일의 자리에서 올림한 수를 십의 자리 수 위에 쓰고 계산합니다.

09 228×3=684, 116×6=696
　　⇨ 684<696

10 3<114<124
　　⇨ 124×3=372

01 (위부터) 1800 ; 100 **02** (위부터) 420 ; 10

03 759 **04** 1364 **05** 800

06 2520 **07** 1200, 1500

08 ∴ **09** (○)(　) **10** ㉣

07 40×30=1200, 50×30=1500

08
```
      1              1
    7 4 2          4 2 1
  ×     3        ×     6
    2 2 2 6  ,    2 5 2 6
```

09 60×50=3000, 80×30=2400
　　⇨ 3000>2400

10 ㉠ 960 ㉡ 960 ㉢ 960 ㉣ 1020

01 2, 0 ; 1, 0, 0 ; 1, 2, 0 **02** 8, 4 ; 2, 8, 0 ; 3, 6, 4

03 204 **04** 378 **05** 546

06 256 **07** 496

08
```
      5 3
  ×   1 3
    1 5 9
    5 3 0
    6 8 9
```
09 > **10** 768

01 5×4와 5×20을 구하여 더합니다.

02 28×3과 28×10을 구하여 더합니다.

06 8×32=256

07
```
      1 6
  ×   3 1
      1 6
    4 8 0
    4 9 6
```

08 53과 십의 자리 수 1을 곱한 값은 530입니다.

09 4×82=328, 7×43=301
　　⇨ 328>301

10 24의 32배 ⇨ 24×32=768

01 1, 0, 8 ; 1, 6, 2, 0 ; 1, 7, 2, 8 **02** 666

03 1428 **04** 2072 **05** 2730

06 > **07** 40 **08** 1080개

09 45, 540 **10** 7, 2940

05

$$
\begin{array}{r}
4\,2 \\
\times\ 6\,5 \\
\hline
2\,1\,0 \\
2\,5\,2\,0 \\
\hline
2\,7\,3\,0
\end{array}
$$

06 $26 \times 54 = 1404,\ 35 \times 36 = 1260$
⇨ $1404 > 1260$

07 (한 봉지에 들어 있는 사탕 수)×(봉지 수)

08 $27 \times 40 = 1080$(개)

09 (한 타의 연필 수)×(연필의 타수)
$= 12 \times 45 = 540$(자루)

10 (사탕 1개의 값)×(사탕 수)
$= 420 \times 7 = 2940$(원)

7~9쪽 **단원평가 1회 난이도 A**

01 339 **02** 1200 **03** 1, 2 ; 1, 6, 0 ; 1, 7, 2
04 250, 75, 325 **05** 860 **06** 1810
07 480 **08** 1200, 2000 **09** 520
10 1710, 4560 **11** ( )( )(○)
12 $325 \times 4 = 1300$; 1300

13

$$
\begin{array}{r}
\overset{2}{} \\
2\,2\,8 \\
\times\quad\ 3 \\
\hline
6\,8\,4
\end{array}
$$

14 $<$
15 434, 1302
16 1593

17

1005	662	520
420	248	663
342	1705	1205

18 14, 784
19 2450원
20 3825 m

01 113×3은 백 모형이 3개, 십 모형이 3개, 일 모형이 9개이므로 339입니다.

02 60×20은 6×2의 100배입니다.

03 4×3과 4×40을 구하여 더합니다.

04 $13 = 10 + 3$으로 생각하여 25×10과 25×3을 구하여 더합니다.

07

$$
\begin{array}{r}
1\,2\,0 \\
\times\quad\ 4 \\
\hline
4\,8\,0
\end{array}
$$

08 $30 \times 40 = 1200,\ 50 \times 40 = 2000$

09

$$
\begin{array}{r}
8 \\
\times\ 6\,5 \\
\hline
4\,0 \\
4\,8\,0 \\
\hline
5\,2\,0
\end{array}
$$

10 $57 \times 30 = 1710,\ 57 \times 80 = 4560$

11 $23 \times 80 = 1840,\ 26 \times 90 = 2340,$
$24 \times 60 = 1440$

12 325를 4번 더한 것은 325의 4배와 같으므로
$325 \times 4 = 1300$입니다.

13 $8 \times 3 = 24$이므로 20을 십의 자리로 올림하여 계산해야 합니다.

14 $35 \times 42 = 1470,\ 58 \times 29 = 1682$
⇨ $1470 < 1682$

15 $31 \times 14 = 434,\ 434 \times 3 = 1302$

16 $59 > 56 > 35 > 27$ ⇨ $59 \times 27 = 1593$

17 $130 \times 4 = 520,\ 221 \times 3 = 663,\ 341 \times 5 = 1705$

18 (객실 한 칸의 좌석 수)×(객실 수)
$= 56 \times 14 = 784$(개)

19 (연필 한 자루의 가격)×(연필의 수)
$= 350 \times 7 = 2450$(원)

20 (1분 동안 가는 거리)×(가는 시간)
$= 425 \times 9 = 3825$ (m)

10~12쪽 **단원평가 2회 난이도 A**

01 396 **02** 129, 129 **03** ㉠
04 1, 3, 5 ; 2, 7, 0 ; 4, 0, 5 **05** 4096
06 2160 **07** 115 **08** 5040

09

$$
\begin{array}{r}
\overset{1}{} \\
7\,3\,1 \\
\times\quad\ 5 \\
\hline
3\,6\,5\,5
\end{array}
$$

10 144, 216, 252
11 (선 연결)
12 ( )
(○)
( )

13

$$
\begin{array}{r}
2\,3 \\
\times\ 5\,7 \\
\hline
1\,6\,1 \\
1\,1\,5\,0 \\
\hline
1\,3\,1\,1
\end{array}
$$

14 $>$
15 668
16 ㉢, ㉠, ㉡
17 1098원
18 3
19 $12 \times 49 = 588$; 588개
20 270원

01 132×3은 백 모형이 3개, 십 모형이 9개, 일 모형이 6개이므로 396입니다.

02 (몇십몇)×(몇십)은 (몇십몇)×(몇)의 10배입니다.

03 70×60은 7×6의 100배입니다.
⇨ ㉠=4, ㉡=2, ㉢=0, ㉣=0

07
```
      5
  × 2 3
  ─────
    1 5
  1 0 0
  ─────
  1 1 5
```

08 84×60=5040

09 십의 자리에서 올림한 수를 백의 자리 위에 쓰고 계산합니다.

10 4×36=144, 6×36=216, 7×36=252

11 28×40=1120, 26×45=1170

12 241×6=1446, 151×8=1208

13 23×50=1150이므로 1150을 쓰고 더하여 바르게 계산합니다.

14 218×5=1090, 315×3=945
⇨ 1090>945

15 167을 4번 더한 값은 167×4와 같습니다.
⇨ □=167×4=668

16 ㉠ 425×4=1700
㉡ 726×2=1452
㉢ 385×5=1925
⇨ ㉢>㉠>㉡

17 (감자 한 개의 가격)×(감자의 수)
=183×6=1098(원)

18 □×8의 일의 자리 숫자가 4이므로
□=3 또는 □=8입니다.
□=3일 때 74 3 ×8=5944(○),
□=8일 때 74 8 ×8=5984(×)
따라서 □=3입니다.

19 (한 상자에 들어 있는 초콜릿의 수)×(상자의 수)
=12×49=588(개)

20 (연필 7자루의 값)=390×7=2730(원)
⇨ (거스름돈)=3000-2730=270(원)

13~15쪽 **단원평가 3회** **난이도 B**

01 (위부터) 6 ; 6, 0, 20 ; 6, 7, 8

02 48 ; 4800

03 (위부터) 8 ; 280, 20 ; 392   **04** 4776

05 203   **06** 1370   **07** ④   **08** 988

09 ㉡   **10** ㉢   **11** (○) ( )

12 (위부터) 2346, 1242, 2040   **13** 318

14 128+128+128+128=512 ; 128×4=512

15 600 cm   **16** 77

17 예 정사각형의 네 변의 길이는 모두 같으므로
(정사각형의 네 변의 길이의 합)
=131×4=524 (cm)입니다. ; 524 cm

18 4890원   **19** 3, 6   **20** 7, 4, 6

---

01 226×3은 6×3, 20×3, 200×3의 합과 같습니다.

02 6×8=48 ⇨ 60×80=4800
       └─────100배─────┘

03 14×28은 14×8과 14×20을 구하여 더합니다.

06
```
    3 2
    2 7 4
  ×     5
  ───────
  1 3 7 0
```

07 57×23=57×3+57×20
=171+1140=1311

08
```
    1 9
  × 5 2
  ─────
    3 8
  9 5 0
  ─────
  9 8 8
```

09 ㉠
```
    2 4
  × 7 0
  ─────
  1 6 8 0
```
바르게 계산한 것은 ㉡입니다.

10 ㉠ 34×25=850
㉡ 85×10=850
㉢ 172×5=860

11 72×44=3168, 427×7=2989
⇨ 3168>2989

12 69×34=2346, 18×69=1242,
60×34=2040

13 6<7<14<48<53 ⇨ 6×53=318

14 128+128+128+128=128×4=512
⎣_____ 4번 _____⎦

16 14×55=770, 77×10=770 ⇨ □=77

18 815×6=4890(원)

19 ㉡=1이면 1×6=6이고 2×6=12에서 곱의 십
의 자리 수가 5가 되지 않으므로 잘못되었습니다.
㉡=6이면 6×6=36이고 30을 십의 자리 계산
에 올림하면 곱의 십의 자리 수가 5가 됩니다.
㉠×6에 올림한 1을 더하면 19가 되므로
㉠×6=18, ㉠=3입니다.

20 곱이 가장 큰 곱셈식을 만들려면 십의 자리에 가
장 큰 수인 7을 놓아야 합니다.
74×56=4144, 76×54=4104이므로 계산 결
과가 가장 큰 곱셈식은 74×56입니다.

16~18쪽 단원평가 4회 난이도 B

01 (위부터) 6 ; 3, 0 ; 9, 3, 6

02 240, 168, 408 **03** 100

04 4410 **05** 3159 **06** 5600 **07** 1786

08 ( )( )(○) **09** >

10 300, 1200 **11** 361×5=1805 ; 1805

12

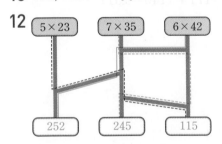

13 (위부터) 1462, 1224, 850

14 60×20=1200 ; 1200개 **15** 396개

16 1320자루 **17** 3

18 (위부터) 4 ; 6 **19** 1254원

20 예 (전체 학생 수)=28+29+29+28=114(명)
따라서 색종이는 모두 114×4=456(묶음) 필요
합니다. ; 456묶음

03 60×2=120에서 올림한 1이므로 실제로 100을
나타냅니다.

06 70×80=5600

07
```
      3 8
    ×  4 7
    ───────
      2 6 6
    1 5 2 0
    ───────
    1 7 8 6
```

08 60×60=3600, 90×40=3600, 18×20=360

09 623×5=3115, 38×74=2812
⇨ 3115>2812

10 15×20=300, 300×4=1200

11 361을 5번 더한 것이므로 361에 5를 곱한 것과
같습니다.
⇨ 361×5=1805

12 5×23=115, 7×35=245, 6×42=252

13 34×25=850, 34×36=1224, 34×43=1462

14 (20시간 동안 만들 수 있는 장난감의 수)
=(한 시간에 만들 수 있는 장난감의 수)×20
=60×20=1200(개)

15 (한 상자에 들어 있는 귤의 수)×(상자 수)
=132×3=396(개)

16 (필요한 연필의 수)=264×5=1320(자루)

17 4×28=112
⇨ □=3이면 3×32=96 → 112>96 (○)
□=4이면 4×32=128 → 112<128 (×)
□ 안에 들어갈 수 있는 자연수는 1, 2, 3이므
로 이중 가장 큰 수는 3입니다.

18
```
       ㉠
    ×  ㉡ 2
    ───────
     2 4 8
```
• ㉠×2=8 ⇨ ㉠=4 또는 9
• ㉠=4일 때 4×㉡=24 ⇨ ㉡=6
• ㉠=9일 때 9×㉡=23인 ㉡을 구할 수 없습
니다.
따라서 ㉠=4, ㉡=6입니다.

19 일반 문자: 22×30=660(원)
그림 문자: 33×18=594(원)
⇨ 660+594=1254(원)

19~21쪽 　단원평가 5회 난이도 C

01 484　　**02** (위부터) 1040 ; 10　　**03** 1548

04 2888　　**05** 50×7에 ○표　　**06** 3600

07 2520　　**08** ⤬　　**09** >　　**10** 888

11 ㉣, ㉡, ㉢, ㉠

12
$$\begin{array}{r} 6\,4 \\ \times\ 3\,5 \\ \hline 3\,2\,0 \\ 1\,9\,2\,0 \\ \hline 2\,2\,4\,0 \end{array}$$

13 5

14 예 굵은 선의 길이는 정사각형 한 변 10개와 같으므로 36×10=360 (cm)입니다. ; 360 cm

15 2898 cm　　**16** 12×16=192 ; 192

17 215 cm　　**18** (위부터) 8 ; 4, 2 ; 3, 3, 6

19 4956걸음

20 예 어떤 수를 □라고 하면 □+26=122,
□=122−26, □=96
따라서 바르게 계산하면 96×26=2496입니다.
; 2496

08 427×2=854, 228×4=912, 306×3=918

09 5×49=245, 7×32=224 ⇨ 245>224

10 가장 작은 수: 12, 가장 큰 수: 74
⇨ 12×74=888

11 ㉠ 38×20=760　　㉡ 25×46=1150
㉢ 503×2=1006　　㉣ 19×98=1862
⇨ ㉣>㉡>㉢>㉠

12 64와 십의 자리 수 30의 곱은 1920입니다.

13 □ 안에 4를 넣으면 43×11=473<500(×),
□ 안에 5를 넣으면 53×11=583>500(○)
⇨ □ 안에 들어갈 수 있는 자연수는 5, 6, 7,
……이므로 가장 작은 수는 5입니다.

15 (선물 42개를 포장하는 데 필요한 끈의 길이)
=69×42=2898 (cm)

16 10×10, 2×10 → 12×10
10×6, 2×6 → 12×6
⇨ 12×16=192

17 색 테이프 14장을 5 cm씩 겹쳐서 이어 붙이면
겹쳐진 부분은 13군데입니다.
(이어 붙이기 전 색 테이프의 전체 길이)
=20×14=280 (cm)
(겹쳐진 부분의 길이의 합)=5×13=65 (cm)
⇨ 이어 붙인 색 테이프의 전체 길이는
280−65=215 (cm)입니다.

18 곱이 가장 큰 곱셈식을 만들려면 가장 큰 수 8은
한 자리 수에 놓고, 두 번째로 큰 수 4는 두 자리
수의 십의 자리에 놓아야 합니다.
⇨ 8×42=336

19 1시간은 60분이므로
1시간 24분=60분+24분=84분입니다.
⇨ 명수가 1분에 59걸음씩 84분 동안 걷는다면
59×84=4956(걸음)을 걷게 됩니다.

22~23쪽 　단계별로 연습하는 서술형 평가

01 ❶ 7, 21 ; 21일　　❷ 420개

02 ❶ 5, 620 ; 620개　　❷ 25, 400 ; 400개
❸ 1020개

03 ❶ □+35=52　　❷ 17　　❸ 595

04 ❶ 85　　❷ 12　　❸ 1020

01 ❷ 21×20=420(개)

02 ❶ 한 상자에 124개씩 5상자이므로
124×5=620(개)입니다.
❷ 한 상자에 16개씩 25상자이므로
16×25=400(개)입니다.
❸ 620+400=1020(개)

03 ❷ □+35=52 ⇨ □=52−35=17
❸ 17×35=595

04 ❶ 1<2<5<8이므로 주원이가 만든 가장 큰
두 자리 수는 85입니다.
❷ 남은 수 카드는 1, 2이므로 가장 작은 두 자
리 수는 12입니다.
❸ 85×12=1020

24~25쪽 | 풀이 과정을 직접 쓰는 서술형 평가

01 예 1주일은 7일이므로 2주일은 $2 \times 7 = 14$(일)입니다.

⇨ $14 \times 30 = 420$(개)이므로 희영이는 2주일 동안 윗몸 일으키기를 모두 420개 하였습니다.

; 420개

02 예 (4상자에 들어 있는 귤의 수)

$= 128 \times 4 = 512$(개)

(27상자에 들어 있는 배의 수)

$= 18 \times 27 = 486$(개)

⇨ $512 + 486 = 998$(개)

; 998개

03 예 어떤 수를 □라 하면 □$-26 = 35$입니다.

□$-26 = 35$

⇨ □$= 35 + 26$, □$= 61$

바르게 계산하면 $61 \times 26 = 1586$입니다.

; 1586

04 예 유미가 만든 가장 큰 두 자리 수는 75이고, 나머지 수 카드로 만든 가장 작은 두 자리 수는 23입니다.

⇨ $75 \times 23 = 1725$

; 1725

05 예 $42 \times 51 = 2142$

□$=5$일 때 $37 \times 54 = 1998$, $2142 > 1998$ ($\times$)

□$=6$일 때 $37 \times 64 = 2368$, $2142 < 2368$ ($\bigcirc$)

⇨ □ 안에 들어갈 수 있는 수는 6, 7, 8, 9로 모두 4개입니다.

; 4개

01

배점	채점기준
상	2주일이 며칠인지 구하여 답을 바르게 구함
중	풀이 과정이 부족하지만 답은 맞음
하	문제를 전혀 해결하지 못함

인정답안
곱셈식을 덧셈식으로 나타내어도 계산이 정확하면 정답으로 인정합니다.

03

배점	채점기준
상	어떤 수를 구한 후 바르게 계산한 값을 구함
중	풀이 과정이 부족하지만 답은 맞음
하	문제를 전혀 해결하지 못함

04

배점	채점기준
상	유미가 만든 수를 구하여 답을 바르게 구함
중	풀이 과정이 부족하지만 답은 맞음
하	문제를 전혀 해결하지 못함

05

배점	채점기준
상	42×51의 계산을 먼저 하고 □ 안에 알맞은 수를 바르게 구함
중	풀이 과정이 부족하지만 답은 맞음
하	문제를 전혀 해결하지 못함

26쪽 | 밀크티 성취도평가 오답 베스트 5

01 6, 90, 900 **02** 1550분 **03** 598자루

04 1908 **05** 6

01 60을 6×10으로 생각하여 15에 6을 곱한 다음 10을 곱하여 15×60을 계산합니다.

⇨ $15 \times 60 = 15 \times 6 \times 10 = 90 \times 10 = 900$

02 7월은 31일까지 있습니다.

⇨ $50 \times 31 = 1550$(분)

03 $23 \times 26 = 598$(자루)

04 어떤 수를 □라고 하여 식을 만들면

□$-36 = 17$입니다.

$36 + 17 = $□, □$= 53$이므로 바르게 계산하면

$53 \times 36 = 1908$입니다.

05 $64 \times \boxed{5}0 = 3200 < 3500$,

$64 \times \boxed{6}0 = 3840 > 3500$이므로

□ 안에 들어갈 수 있는 가장 작은 수는 6입니다.

2 ──── 나눗셈

01 20 **02** 15 **03** 2, 1, 2, 2
04 2, 8, 8 **05** 12 **06** 31
07 $80 \div 2$에 ○표 **08** 14
09 (선 잇기) **10** =

---

01 수 모형 80개를 4묶음으로 똑같이 나누면 한 묶음에 20개씩입니다.

02 십 모형 3개를 일 모형 30개로 바꿔서 2개씩 묶어 보면 15묶음이 됩니다.

05
$$\begin{array}{r} 12 \\ 5\overline{)60} \\ 5 \\ \hline 10 \\ 10 \\ \hline 0 \end{array}$$

06
$$\begin{array}{r} 31 \\ 3\overline{)93} \\ 9 \\ \hline 3 \\ 3 \\ \hline 0 \end{array}$$

07 $80 \div 2 = 40$, $90 \div 3 = 30$, $50 \div 5 = 10$
⇨ $40 > 30 > 10$

08 $70 \div 5 = 14$

09 $55 \div 5 = 11$, $60 \div 4 = 15$

10 $69 \div 3 = 23$, $46 \div 2 = 23$

01 몫, 나머지 **02** (위부터) 8 ; 2, 4 ; 0
03 (위부터) 8 ; 3 ; 3, 2 ; 1 **04** $6 \cdots 2$
05 $14 \cdots 3$ **06** 13 **07** 15, 3
08 (○)( ) **09** (선 잇기) **10** 20

---

01 $21 \div 5 = \underset{\text{몫}}{4} \cdots \underset{\text{나머지}}{1}$

06
$$\begin{array}{r} 13 \\ 5\overline{)65} \\ 5 \\ \hline 15 \\ 15 \\ \hline 0 \end{array}$$

07
$$\begin{array}{r} 15 \\ 4\overline{)63} \\ 4 \\ \hline 23 \\ 20 \\ \hline 3 \end{array}$$

08 $38 \div 2 = 19$, $78 \div 6 = 13$

09 $17 \div 5 = 3 \cdots 2$, $35 \div 8 = 4 \cdots 3$

10 $92 \div 5 = 18 \cdots 2$
⇨ $18 + 2 = 20$

01 2, 6, 0 **02** (위부터) 7 ; 4 ; 4, 2, 7
03 198 **04** 156 **05** 2, 3, 4에 ○표
06 400 **07** 102, 4 **08** 5, 37
09 35, 2 ; 35, 2
10 18, 2 ; 18, 144 ; 144, 2

---

05 나머지는 항상 나누는 수보다 작아야 하므로
□$\div 5$의 나머지가 될 수 있는 수는 2, 3, 4입니다.

06 $800 \div 2 = 400$

07 $514 \div 5 = \underset{\text{몫}}{102} \cdots \underset{\text{나머지}}{4}$

08 (동화책 전체 쪽수)÷(읽는 날수)
$= 185 \div 5 = 37$(쪽)

09 (전체 초콜릿 수)÷(한 명에게 나누어 주는 초콜릿 수)
$= 177 \div 5 = 35 \cdots 2$

10 $146 \div 8 = 18 \cdots 2$
$8 \times 18 = 144$ ⇨ $144 + 2 = 146$

33~35쪽 단원평가 1회 난이도 Ⓐ

01 10	**02** (위부터) 2, 1 ; 4 ; 8, 4
03 32, 64, 64	**04** 2, 0 ; 2, 9 ; 2, 3, 9, 0
05 3, 9, 0 **06** 15	**07** 43 **08** 148, 1

09 26   **10** ⑤   **11**

$$\begin{array}{r} 5 \\ 5{\overline{\smash{\big)}\,27}} \\ \underline{25} \\ 2 \end{array}$$

12 <

13 (   )(○)(   )   **14** （점 연결）   **15** ㉠

16 □÷4에 ○표   **17** ㉢   **18** 18개

19 19장 ; 3장   **20** 42개

02 $84 \div 4 = 21 \Rightarrow$
$$\begin{array}{r} 21 \leftarrow \text{몫} \\ 4{\overline{\smash{\big)}\,84}} \end{array}$$

03
$$65 \div 2 = 32 \cdots 1$$
$$2 \times 32 = 64 \Rightarrow 64 + 1 = 65$$

08 $445 \div 3 = 148 \cdots 1$
（몫 / 나머지）

09
$$\begin{array}{r} 26 \\ 2{\overline{\smash{\big)}\,52}} \\ \underline{4} \\ 12 \\ \underline{12} \\ 0 \end{array}$$

10 나머지는 나누는 수보다 항상 작아야 합니다.

11 5로 나눈 나머지가 7이 될 수 없으므로 몫을 1 크게 하여 계산을 바르게 합니다.

12 $64 \div 4 = 16$, $85 \div 5 = 17$
$\Rightarrow 16 < 17$

13 $86 \div 3 = 28 \cdots 2$, $70 \div 2 = 35$, $69 \div 7 = 9 \cdots 6$

14 $195 \div 3 = 65$, $288 \div 4 = 72$

15 ㉠ $534 \div 5 = 106 \cdots 4$
㉡ $463 \div 3 = 154 \cdots 1$
㉢ $610 \div 4 = 152 \cdots 2$
$\Rightarrow 1 < 2 < 4$

16 나머지는 나누는 수보다 항상 작아야 하므로 □÷4의 나머지는 4가 될 수 없습니다.

17 ㉠ $27 \div 6 = 4 \cdots 3$ ㉡ $32 \div 6 = 5 \cdots 2$
㉢ $42 \div 6 = 7$ ㉣ $607 \div 6 = 101 \cdots 1$
$\Rightarrow$ 6으로 나누었을 때 나누어떨어지는 수는 ㉢ 42입니다.

18 (한 반이 가지게 되는 풀의 수)
= (전체 풀의 수) ÷ (반의 수)
= $90 \div 5 = 18$(개)

19 $79 \div 4 = 19 \cdots 3$
$\Rightarrow$ 한 명이 19장씩 가지게 되고 3장이 남습니다.

20 (전체 귤 수) ÷ (상자 수)
= $252 \div 6 = 42$(개)

36~38쪽 단원평가 2회 난이도 Ⓐ

01 20	**02** (위부터) 3, 30 ; 10	**03** 8, 1
04 2, 1 ; 6 ; 3, 3	**05** 18	**06** 135
07 24, 2	**08** 100	**09** 42, 4 **10** ⑤
11 <	**12** 15, 5	**13** 52÷7에 ○표
14 41	**15** 72÷3에 ○표	**16** ③
17 3, 41	**18** 11 m	**19** 9봉지 ; 2개
20 46장		

01 십 모형 4개를 똑같이 2묶음으로 나누면 한 묶음은 십 모형이 2개씩입니다.

02 나누는 수가 같고 나누어지는 수가 10배가 되면 몫도 10배가 됩니다.

07 $98 \div 4 = 24 \cdots 2$
（몫 / 나머지）

08 $400 \div 4 \Rightarrow$
$$\begin{array}{r} 100 \\ 4{\overline{\smash{\big)}\,400}} \\ \underline{4} \\ 0 \end{array}$$

09
$$\begin{array}{r} 42 \\ 7{\overline{\smash{\big)}\,298}} \\ \underline{28} \\ 18 \\ \underline{14} \\ 4 \end{array}$$

10 나머지는 나누는 수보다 항상 작아야 하므로 5와 같거나 5보다 큰 수는 나머지가 될 수 없습니다.

11 $80 \div 5 = 16$, $84 \div 4 = 21$

    ⇨ $16 < 21$

12 $60 \div 4 = 15$, $15 \div 3 = 5$

13 $26 \div 3 = 8 \cdots 2$, $49 \div 6 = 8 \cdots 1$

    $37 \div 5 = 7 \cdots 2$, $52 \div 7 = 7 \cdots 3$

14 $128 < 196 < 246$ ⇨ $246 \div 6 = 41$

15 $54 \div 7 = 7 \cdots 5$, $72 \div 3 = 24$, $62 \div 4 = 15 \cdots 2$

16 ① $26 \div 2 = 13$ ② $65 \div 5 = 13$

    ③ $56 \div 4 = 14$ ④ $39 \div 3 = 13$

    ⑤ $91 \div 7 = 13$

17 (저금통 1개에 넣을 수 있는 동전의 수)

    =(전체 동전의 수)÷(저금통의 수)

    $= 123 \div 3 = 41$(개)

18 (1초에 달린 거리)

    =(전체 거리)÷(달린 시간)

    $= 99 \div 9 = 11$ (m)

19 $74 \div 8 = 9 \cdots 2$

    ⇨ 구슬 74개를 한 봉지에 8개씩 담으면 모두 9
    봉지가 되고 2개가 남습니다.

20 (전체 색종이 수)÷(나누어 줄 사람 수)

    $= 368 \div 8 = 46$(장)

39~41쪽   단원평가 3회   난이도 B

01 10   **02** (위부터) 2, 5 ; 1, 5 ; 1, 5 ; 0

03 10   **04** 12   **05** 12, 2   **06** 17

07 150   **08** 143   **09** ③   **10** ③

11 ( )(○)( )   **12** ( )(○)

13 ㉡   **14** (선 연결)   **15** 23 cm   **16** 32자루

17 ⑩ $87 \div 9 = 9 \cdots 6$이므로 리본을 9개 만들 수 있
    고 6 cm가 남습니다. 따라서 리본을 9개까지 만
    들 수 있습니다. ; 9개

18 0, 5   **19** (위부터) 9 ; 8 ; 2 ; 2, 7

20 543, 2, 271, 1

01 귤 30개를 똑같이 3묶음으로 나누면 한 묶음은
    10개씩입니다.

04
$$\begin{array}{r} 12 \\ 4\overline{)48} \\ \underline{4} \\ 8 \\ \underline{8} \\ 0 \end{array}$$

05 $74 \div 6 = 12 \cdots 2$

    몫   └ 나머지

06 $68 > 4$ ⇨ $68 \div 4 = 17$

07
$$\begin{array}{r} 150 \\ 4\overline{)600} \\ \underline{4} \\ 20 \\ \underline{20} \\ 0 \end{array}$$

08 $46 \div 2 = 23$, $720 \div 6 = 120$

    ⇨ $23 + 120 = 143$

09 나머지가 5가 되려면 나누는 수가 5보다 커야 합
    니다.

10 □는 $170 \div 5$의 몫이므로 34입니다.

    ⇨
$$\begin{array}{r} 34 \\ 5\overline{)170} \\ \underline{15} \\ 20 \\ \underline{20} \\ 0 \end{array}$$

11 $44 \div 4 = 11$, $80 \div 8 = 10$, $88 \div 8 = 11$

12 $453 \div 4 = 113 \cdots 1$, $372 \div 5 = 74 \cdots 2$

    ⇨ $1 < 2$

13 ㉠ $33 \div 3 = 11$ ㉡ $42 \div 2 = 21$

    ㉢ $60 \div 5 = 12$ ㉣ $84 \div 6 = 14$

14 $42 \div 2 = 21$, $87 \div 4 = 21 \cdots 3$

    $60 \div 6 = 10$, $79 \div 6 = 13 \cdots 1$

    $39 \div 3 = 13$, $70 \div 7 = 10$

15 정사각형은 네 변의 길이가 모두 같습니다.

    ⇨ (정사각형의 한 변)$= 92 \div 4 = 23$ (cm)

16 (전체 연필 수)÷(나누어 줄 사람 수)

    $= 288 \div 9 = 32$(자루)

18 십의 자리까지의 계산에서 $15 \div 5 = 3$이므로 나
    누어떨어지려면 □가 0이거나 5가 되어야 합니
    다. 따라서 □ 안에 들어갈 수 있는 숫자는 0, 5입
    니다.

19
$$\begin{array}{r} 2\,\boxed{\scriptsize ㉠} \\ 3\,)\overline{\,\boxed{\scriptsize ㉡}\,9\,} \\ \underline{6} \\ \boxed{\scriptsize ㉢}\,9 \\ \underline{\boxed{\scriptsize ㉣}\,\boxed{\scriptsize ㉤}} \\ 2 \end{array}$$

• $9-㉤=2$, $㉤=7$이므로
$3\times 9=27$에서
$㉠=9$, $㉣=2$, $㉢=2$
• $㉡-6=2$, $㉡=8$

20 만들 수 있는 가장 큰 세 자리 수는 543이고 남은
수는 2입니다.
➡ $543\div 2=271\cdots 1$

42~44쪽 **단원평가 4회** **난이도 B**

01 3, 30 **02** (위부터) 4, 0 ; 2, 4 **03** 6, 2
04 14 **05** 12 **06** 18
07 150…2 ; $4\times 150=600$ ➡ $600+2=602$
08 ④ **09** > **10** $40\div 2$에 ○표
11 32, 16 **12** ⑤ **13** ㉢ **14** 16명
15 28 **16** 45명, 2권
17 예 $70\div 4=17\cdots 2$이므로 빵을 접시 17개에 담
고 2개가 남습니다. 남은 2개의 빵도 접시에 담아
야 하므로 접시는 적어도 $17+1=18$(개)가 필요
합니다. ; 18개
18 47 **19** 7 **20** 4명

01
$$\underset{\text{10배}}{\overbrace{6\div 2=3}}\ ➡\ \underset{\text{10배}}{\underbrace{60\div 2=30}}$$

03 (나누어지는 수)÷(나누는 수)=(몫)…(나머지)

05
$$\begin{array}{r} 12 \\ 5\,)\overline{\,60\,} \\ \underline{5} \\ 10 \\ \underline{10} \\ 0 \end{array}$$

06 $36>2$ ➡ $36\div 2=18$

07 $602\div 4=150\cdots 2$
➡ (확인) $4\times 150=600 \rightarrow 600+2=602$

08 나머지는 나누는 수보다 항상 작아야 합니다.

---

09 $60\div 4=15$, $70\div 5=14$
➡ $15>14$

10 가장 먼저 계산해야 하는 식은 십의 자리 수인 40
을 2로 나누는 식입니다. 따라서 $40\div 2$를 가장
먼저 계산해야 합니다.

11 $96\div 3=32$, $32\div 2=16$

12 ① $14\div 7=2$ ② $35\div 7=5$
③ $91\div 7=13$ ④ $56\div 7=8$
⑤ $61\div 7=8\cdots 5$

13 ㉠ $89\div 4=22\cdots 1$
㉡ $78\div 3=26$
㉢ $39\div 8=4\cdots 7$
나머지의 크기를 비교해 보면 ㉢>㉠>㉡입니다.

14 (선물할 수 있는 사람 수)
=(전체 공책 수)÷(공책 한 묶음의 수)
=$64\div 4=16$(명)

15 $\square\times 4=112$
➡ $112\div 4=\square$, $\square=28$

16 (전체 공책 수)÷(한 명에게 줄 공책 수)
=$407\div 9=45\cdots 2$
➡ 45명에게 나누어 줄 수 있고 공책은 2권이 남
습니다.

18 나누는 수가 6이므로 나머지는 6보다 작아야 합
니다. ㉠이 가장 크려면 나머지가 가장 큰 5이어
야 하므로 ㉠$\div 6=7\cdots 5$입니다.
따라서 $6\times 7=42$ ➡ $42+5=㉠$, $㉠=47$입
니다.

19
$$\begin{array}{r} \boxed{\scriptsize ㉠}\,\boxed{\scriptsize ㉡} \\ 7\,)\overline{\,8\,★\,} \\ \underline{7} \\ \boxed{\scriptsize ㉢}\,\boxed{\scriptsize ㉣} \\ \underline{1\,\boxed{\scriptsize ㉤}} \\ 3 \end{array}$$

• $7\times㉠=7$에서 $7\times 1=7$이므로
• $㉠=1$, $㉢=8-7$, $㉢=1$입니다.
• $7\times㉡=1㉤$에서 $7\times 2=14$이므
로 $㉡=2$, $㉤=4$입니다.
• $1㉣-14=3$이므로 $㉣=7$입니다.
따라서 $★=㉣=7$입니다.

20 처음에 9명씩 짝을 지으면 $102\div 9=11\cdots 3$이므
로 두 번째에 $9\times 11=99$(명)이 짝 지어 모이기
를 합니다.
➡ $99\div 5=19\cdots 4$이므로 두 번째에 짝을 못 짓
고 남은 학생은 4명입니다.

45~47쪽　단원평가 5회　난이도 C

01 (위부터) 30 ; 30, 3　**02** (위부터) 1, 10 ; 10

03 12　**04** 101　**05** 11　**06** 41, 2

07 ④　**08** =　**09** ④　**10** ㄹ

11 ⑤　**12** ④　**13** (선 연결)　**14** 37명

15 6　**16** 1 ; 0 ; 6 ; 0 ; 1, 8

17 ⑩ 전체 색종이는 10장씩 8묶음과 낱장 1장이므
로 모두 81장입니다.

⇨ (한 사람이 가질 수 있는 색종이 수)
　＝81÷3＝27(장) ; 27장

18 26개　**19** 97, 5, 19, 2

20 ⑩ 45보다 크고 50보다 작은 수는 46, 47, 48,
49입니다. 이 중에서 7로 나누었을 때 나누어떨어
지는 수는 49입니다. ; 49

05 88÷8＝11

07 나머지는 나누는 수보다 항상 작아야 하므로 7로
나누었을 때 나머지가 될 수 있는 수 중 가장 큰
수는 6입니다.

08 66÷3＝22, 88÷4＝22

09 ① 15÷4＝3…3　② 26÷4＝6…2
③ 38÷4＝9…2　④ 52÷4＝13
⑤ 62÷4＝15…2

10 ㉠ 40÷4＝10　㉡ 90÷5＝18
㉢ 24÷2＝12　㉣ 69÷3＝23

11 ① 65÷3＝21…2　② 49÷6＝8…1
③ 38÷5＝7…3　④ 74÷7＝10…4
⑤ 61÷8＝7…5

12 ① 24÷2＝12　② 37÷3＝12…1
③ 64÷5＝12…4　④ 78÷6＝13
⑤ 86÷7＝12…2

13 84÷6＝14, 96÷8＝12
65÷5＝13, 91÷7＝13
48÷4＝12, 42÷3＝14

15 8×10＝80이므로 9□－80＝1□가 8로 나누어
떨어져야 합니다. ⇨ 1 6 ÷8＝2

16
$$6\overline{)8\boxed{ㄴ}}$$
㉠ 3

• 8－㉢＝2, ㉢＝8－2＝6입니다.
• 6×1＝6이므로 ㉠＝1입니다.
• 6×3＝18이므로 ㉤＝1, ㉥＝8
입니다.
• 2㉣－18＝2이므로 ㉣＝0,
㉡＝0입니다.

18 (한 상자에 담을 수 있는 사과의 수)
＝48÷4＝12(개)
(한 상자에 담을 수 있는 배의 수)
＝56÷4＝14(개)
따라서 한 상자에 담을 수 있는 사과와 배는 모두
12＋14＝26(개)입니다.

19 몫이 가장 크려면 가장 큰 수를 가장 작은 수로
나누어야 합니다.
만들 수 있는 가장 큰 두 자리 수는 97이므로 남
은 수 5로 나누면 97÷5＝19…2입니다.

48~49쪽　단계별로 연습하는 서술형 평가

01 ❶ 92, 7, 13, 1　❷ 13, 1　❸ 13명, 1자루

02 ❶ 5, 11 ; 11개　❷ 6, 15 ; 15개
❸ 26개

03 ❶ 8, 168 ; 168쪽　❷ 18일, 6쪽
❸ 19일

04 ❶ 18장　❷ 14장　❸ 252장

01 ❶ (전체 색연필 수)
÷(한 사람에게 줄 색연필 수)
＝92÷7＝13…1

02 ❶ 한 봉지에 5개씩 담으므로 55÷5＝11(개)
입니다.
❷ 한 봉지에 6개씩 담으므로 90÷6＝15(개)
입니다.
❸ 11＋15＝26(개)

03 ❷ 168÷9＝18…6
⇨ 매일 9쪽씩 읽으면 18일 동안 읽고 6쪽이
남습니다.

❸ 남은 6쪽도 읽어야 하므로 모두 읽는 데 적어도 18+1=19(일)이 걸립니다.

04 ❶ 72÷4=18이므로 18장 붙일 수 있습니다.

❷ 56÷4=14이므로 14장 붙일 수 있습니다.

❸ 18×14=252(장)

50~51쪽   풀이 과정을 직접 쓰는 서술형 평가

01 예 (전체 연필 수)÷(한 사람에게 줄 연필 수)
=118÷6=19…4

⇨ 19명에게 나누어 줄 수 있고 4자루가 남습니다. ; 19명, 4자루

02 예 (사탕을 담은 봉지 수)=60÷4=15(개)
(초콜릿을 담은 봉지 수)=80÷5=16(개)

⇨ 15+16=31(개) ; 31개

03 예 (동화책의 전체 쪽수)=25×7=175(쪽)

⇨ 175÷8=21 … 7에서 8쪽씩 읽으면 21일 동안 읽고 7쪽이 남습니다.
남은 7쪽도 읽어야 하므로 동화책을 모두 읽는 데 적어도 21+1=22(일)이 걸립니다.
; 22일

04 예 96÷6=16이므로 가로 줄에는 타일을 16장 붙일 수 있고, 72÷6=12이므로 세로 줄에는 타일을 12장 붙일 수 있습니다.

⇨ 필요한 타일은 모두 16×12=192(장)입니다. ; 192장

05 예 40보다 크고 60보다 작은 수는
41, 42, ……, 59입니다.
7×6=42, 7×7=49, 7×8=56이므로 42, 49, 56은 7로 나누어떨어지므로 모두 3개입니다. ; 3개

01

배점	채점기준
상	나눗셈식을 쓰고 답을 바르게 구함
중	풀이 과정이 부족하지만 답은 맞음
하	문제를 전혀 해결하지 못함

02

배점	채점기준
상	나눗셈식을 쓰고 답을 바르게 구함
중	풀이 과정이 부족하지만 답은 맞음
하	문제를 전혀 해결하지 못함

03

배점	채점기준
상	동화책의 전체 쪽수를 구하여 답을 바르게 구함
중	풀이 과정이 부족하지만 답은 맞음
하	문제를 전혀 해결하지 못함

04

배점	채점기준
상	가로 줄과 세로 줄에 각각 붙일 수 있는 타일 수를 구하여 답을 바르게 구함
중	풀이 과정이 부족하지만 답은 맞음
하	문제를 전혀 해결하지 못함

05

배점	채점기준
상	조건을 모두 만족하는 수를 구하여 답을 바르게 구함
중	풀이 과정이 부족하지만 답은 맞음
하	문제를 전혀 해결하지 못함

52쪽   밀크티 성취도평가 오답 베스트 5

01 ㉡   **02** 50명   **03** 19
04 ④   **05** ③

02 128+72=200(자루) ⇨ 200÷4=50(명)

03 만들 수 있는 가장 큰 두 자리 수는 96이므로
96÷5=19…1에서 몫은 19입니다.

04 90÷7=12 … 6
토마토 90개를 7개씩 12개의 봉지에 넣을 수 있고 6개가 남습니다.
남는 토마토 없이 모두 담으려면 남은 6개도 담아야 하므로 봉지 1개가 더 필요합니다.
⇨ 12+1=13(개)

05 나누는 수가 나머지 8보다 큰 식을 찾습니다.

3 원

01 중심에 ○표   **02** 반지름에 ○표

03 중심, 지름   **04** 점 ㄴ

05 (예)

06 선분 ㄷㄹ
또는 선분 ㄹㄷ

07 선분 ㄷㄹ
또는 선분 ㄹㄷ

08 5 cm   **09** 12 cm   **10** 14

06 원의 중심을 지나는 선분이 길이가 가장 깁니다.

10 원의 반지름이 7 cm이므로 원의 지름은
7×2＝14 (cm)입니다.

01 (○)( )( )   **02** 1, ㅇ

03 (예)

04

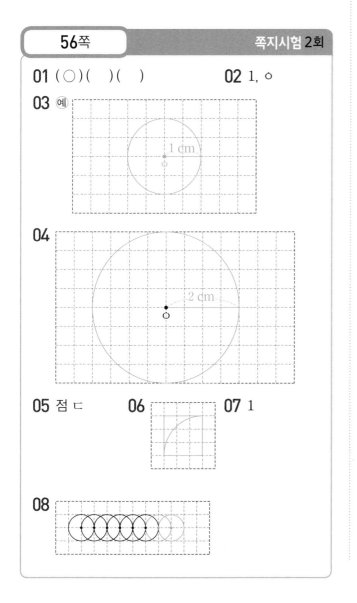

05 점 ㄷ   **06**   **07** 1

08

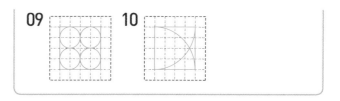

09   **10**

01 점 ㄴ   **02** 반지름   **03** ⓒ   **04** ⓒ

05 (예)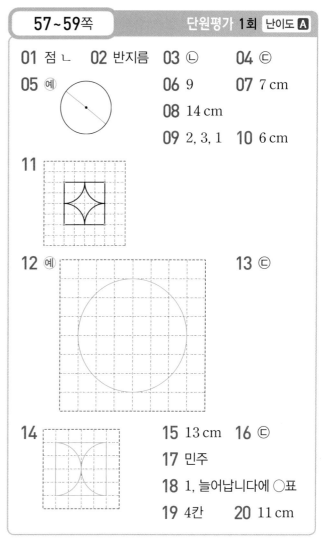

06 9   **07** 7 cm

08 14 cm

09 2, 3, 1   **10** 6 cm

11

12 (예)   **13** ⓒ

14   **15** 13 cm   **16** ⓒ

17 민주

18 1, 늘어납니다에 ○표

19 4칸   **20** 11 cm

05 원의 중심을 지나면서 원 위의 두 점을 이은 선분을 1개 긋습니다.

08 원의 지름은 반지름의 2배이므로
7×2＝14 (cm)입니다.

10 한 원에서 반지름은 길이가 모두 같으므로
(선분 ㄴㅇ)＝(선분 ㄱㅇ)＝6 cm입니다.

11 원의 중심이 되는 곳에 컴퍼스의 침을 꽂아야 합니다.

12 컴퍼스를 주어진 선분의 길이인 1.5 cm만큼 벌려 원을 그립니다.

13 ⓒ 한 원에서 원의 지름은 무수히 많습니다.

15 (가 원의 반지름)=5 cm

(나 원의 반지름)=16÷2=8 (cm)

⇨ 5+8=13 (cm)

16 ⓒ 반지름을 같게 하고 원의 중심을 옮겨 가며 그린 것입니다.

17 두 사람이 가지고 있는 접시의 지름을 알아보면 민주는 9×2=18 (cm), 찬호는 16 cm이므로 크기가 더 큰 접시를 가지고 있는 사람은 민주입니다.

18 원의 중심이 오른쪽으로 3칸, 5칸, …… 옮겨 가고, 원의 반지름이 1칸씩 늘어나는 규칙입니다.

20 (선분 ㄱㄴ)

=(큰 원의 반지름)+(작은 원의 지름)

=5+6=11 (cm)

60~62쪽 **단원평가 2회** **난이도 A**

01 원　　　　**02** 원의 중심

03 선분 ㄴㅁ 또는 선분 ㅁㄴ

04 선분 ㄴㅁ 또는 선분 ㅁㄴ

05 예

06 12 cm　**07** 6 cm

08 4 cm　**09** 20

10

11 ㄹ

12 ㄴ

13 7 cm

14 5개

15

16 ㄴ

17

18 ①

19 21 cm

20 24 cm

---

03 원 위의 두 점을 이은 선분 중에서 가장 긴 선분은 원의 중심을 지나는 선분입니다.

05 원의 반지름이 되는 선분을 2개 긋습니다.

07 원의 반지름은 지름의 반입니다.

⇨ 12÷2=6이므로 원의 반지름은 6 cm입니다.

08 컴퍼스의 침이 원의 중심이 되고, 컴퍼스의 침과 연필심 사이의 거리가 원의 반지름이 되므로 원의 지름은 2×2=4 (cm)입니다.

09 (지름)=(반지름)×2

=10×2=20 (cm)

11 누름 못이 꽂혔던 곳에서 가장 멀리 떨어진 ㄹ에 연필심을 꽂아야 합니다.

12 ⓒ 선분 ㄱㅇ과 선분 ㄴㅇ은 원의 반지름이고 한 원에서 반지름은 모두 같습니다.

13 선분 ㄱㄴ은 원의 지름이고, 선분 ㅇㄷ은 원의 반지름입니다.

⇨ (선분 ㅇㄷ)=14÷2=7 (cm)

14 컴퍼스를 사용하여 원을 그릴 때 컴퍼스의 침이 꽂혔던 곳은 원의 중심이 되므로 원의 중심이 되는 점을 찾으면 모두 5개입니다.

15 정사각형을 그린 다음 정사각형의 각 변의 가운데 점을 원의 중심으로 하여 정사각형 안쪽에 원의 일부분을 4개 그립니다.

16 (지름)=(반지름)×2

=6×2=12 (cm)

17 원의 중심이 오른쪽으로 3칸 이동하고, 원의 반지름은 같게 하여 그립니다.

18 지름이 길수록 큰 원입니다.

① 지름이 10×2=20 (cm)인 원

③ 지름이 9×2=18 (cm)인 원

19 원의 반지름은 6 cm이므로

(선분 ㅇㄱ)=(선분 ㅇㄴ)=6 cm입니다.

⇨ (삼각형 ㅇㄱㄴ의 세 변의 길이의 합)

=6+9+6=21 (cm)

20 (선분 ㄱㄷ)

=(중간 크기의 원의 반지름)+(가장 큰 원의 지름)+(가장 작은 원의 반지름)

=6+14+4=24 (cm)

63~65쪽 단원평가 3회 난이도 B

01 1개　　**02** 나　　**03** 4 cm　　**04** 15 cm

05 2, 4　　**06** 선분 ㄴㄹ 또는 선분 ㄹㄴ

07 ○ ; ×　　**08** 7 cm, 14 cm　　**09** ㉠

10 선분 ㄴㄷ

11 ㈎

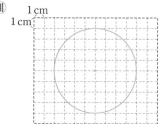

12 5개

13 　　**14** 14 cm

15 ㉠, ㉢, ㉡

16 12 cm

17 ㈎ 원의 반지름이 모눈 1칸씩 늘어나고, 원의 중심이 오른쪽으로 모눈 2칸, 3칸, ……씩 옮겨 가는 규칙입니다.

18 5 cm　　**19** 5 cm　　**20** 24 cm

---

06 원을 똑같이 둘로 나누는 선분은 원의 지름입니다.
⇨ 선분 ㄴㄹ 또는 선분 ㄹㄴ

09 지름이 6 cm인 원의 반지름은 6÷2=3 (cm)이므로 컴퍼스의 침과 연필심 사이를 3 cm만큼 벌려서 그려야 합니다.

10 선분 ㅇㄱ과 선분 ㅇㄷ은 원의 반지름으로 길이가 같습니다.

11 반지름이 8÷2=4 (cm)인 원을 그립니다.

12 원이 5개이므로 원의 중심은 모두 5개입니다.

14 (선분 ㄴㄷ)=(선분 ㄱㄹ)
　　　　　　＝7×2=14 (cm)

15 반지름을 비교해 봅니다.
㉡ 반지름이 14÷2=7 (cm)인 원
큰 원부터 차례대로 기호를 쓰면 ㉠, ㉢, ㉡입니다.

16 큰 원의 지름은 작은 원의 반지름의 4배와 같습니다.
⇨ (큰 원의 지름)=3×4=12 (cm)

18 직사각형의 가로는 원의 반지름의 3배와 같습니다.
⇨ (원의 반지름)=15÷3=5 (cm)

19 선분 ㄴㄷ의 길이는 가장 작은 원의 반지름과 중간 크기의 원의 반지름을 합한 길이입니다.
(가장 작은 원의 반지름)=4÷2=2 (cm)
⇨ (선분 ㄴㄷ)=2+3=5 (cm)

20 삼각형의 한 변은 원의 반지름의 2배와 같으므로 삼각형의 한 변의 길이는 4×2=8 (cm)입니다.
⇨ (삼각형의 세 변의 길이의 합)
　＝8+8+8=8×3=24 (cm)

66~68쪽 단원평가 4회 난이도 B

01 중심, 지름　　**02** 8 cm　　**03** ②

04 6　　**05** 18　　**06** 30 cm

07 ㉢, ㉠, ㉡　　**08** 7 cm　　**09** 6 cm

10 ①, ③　　**11** 4군데　　**12** ㉡, ㉢

13 　　**14** ㉡

15 10 cm, 5 cm

16 8 cm　　**17** 12 cm

18 8 cm　　**19** 18 cm

20 ㈎ 사각형 ㄱㄴㄷㄹ의 한 변은 원의 반지름의 2배와 같으므로 5×2=10 (cm)입니다.
사각형 ㄱㄴㄷㄹ의 네 변의 길이는 모두 같으므로 네 변의 길이의 합은 10×4=40 (cm)입니다.
; 40 cm

---

09 컴퍼스의 침과 연필심 사이의 거리는 원의 반지름과 같습니다. ⇨ 12÷2=6 (cm)

14 지름으로 나타내어 원의 크기를 비교합니다.
㉠ 지름이 5×2=10 (cm)인 원
㉢ 지름이 4×2=8 (cm)인 원

15 정사각형의 한 변과 원의 지름이 같습니다.
⇨ (지름)=10 cm, (반지름)=10÷2=5 (cm)

16 (선분 ㄱㄴ)
＝(왼쪽 원의 반지름)+(가운데 원의 지름)
　+(오른쪽 원의 반지름)
＝1+4+3=8 (cm)

17 (선분 ㄱㄷ)=16÷2=8 (cm)

(선분 ㄷㄴ)=8÷2=4 (cm)

➡ (선분 ㄱㄴ)=(선분 ㄱㄷ)+(선분 ㄷㄴ)

=8+4=12 (cm)

18 큰 원의 지름은 작은 원의 반지름의 4배와 같습니다. ➡ 32÷4=8 (cm)

19 (선분 ㅇㄱ)+13+(선분 ㅇㄴ)=31 (cm)

(선분 ㅇㄱ)+(선분 ㅇㄴ)=31−13=18 (cm)

(선분 ㅇㄱ)=(선분 ㅇㄴ)=18÷2=9 (cm)

➡ (지름)=9×2=18 (cm)

| **69~71쪽** | 단원평가 5회 난이도 **C** |

01 (왼쪽부터) 중심, 지름, 반지름

02 선분 ㄱㄹ 또는 선분 ㄹㄱ

03 예 **04** 선분 ㄱㄷ 또는 선분 ㄷㄱ

05 1 cm, 1 cm, 1 cm ; 같습니다에 ○표

06 ⑤ **07** 7 cm **08** 6 cm **09** 42 cm

10 ④ **11** 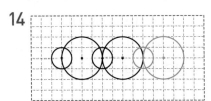 **12** 3개 **13** ②

14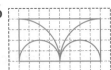

15 6 cm **16**

17 예 작은 원의 지름은 큰 원의 반지름과 같으므로 24÷2=12 (cm)입니다. 따라서 작은 원의 반지름은 12÷2=6 (cm)입니다. ; 6 cm

18 6 cm **19** 11 cm

20 예 색칠한 삼각형은 세 변이 모두 원의 반지름과 같습니다. 원의 반지름은 14÷2=7 (cm)이므로 색칠한 삼각형의 세 변의 길이의 합은 7×3=21 (cm)입니다. ; 21 cm

---

07 원의 반지름은 지름의 반입니다. 원의 지름이 14 cm이므로 반지름은 14÷2=7 (cm)입니다.

08 컴퍼스의 침과 연필심 사이의 거리가 원의 반지름입니다.

➡ (원의 지름)=3×2=6 (cm)

10 원의 중심은 같고, 반지름을 다르게 하여 그린 것입니다.

13 지름이 짧을수록 작은 원입니다.

① 지름이 3×2=6 (cm)인 원

③ 지름이 4×2=8 (cm)인 원

15 큰 원의 지름은 작은 원의 반지름의 6배와 같습니다.

➡ (큰 원의 지름)=1×6=6 (cm)

18 (선분 ㄱㄴ)=(선분 ㄴㄷ)=11 cm

(선분 ㄱㄹ)+(선분 ㄹㄷ)

=34−11−11=12 (cm)

따라서 작은 원의 반지름은 12÷2=6 (cm)입니다.

19 큰 원의 지름이 6 cm이므로 반지름은 3 cm이고, (작은 원의 지름)=16−6−6=4 (cm), (작은 원의 반지름)=4÷2=2 (cm)입니다.

➡ (선분 ㄱㄴ)=3+3+3+2=11 (cm)

| **72~73쪽** | 단계별로 연습하는 서술형 평가 |

01 ❶ 20, 10 ; 10 cm ❷ 7 cm ❸ 17 cm

02 ❶ 6, 12 ; 12 cm

❷ 12 ; 12 cm ❸ 48 cm

03 ❶ [도형] ❷ [도형] ; 5군데

04 ❶ 4, 24 ; 24 cm

❷ 4, 8 ; 8 cm ❸ 32 cm

---

01 ❷ 원의 중심에서 원 위의 한 점까지의 길이를 찾으면 7 cm입니다.

❸ 10+7=17 (cm)

02 ❶ (원의 지름)=(원의 반지름)×2

   ❸ 12×4=48 (cm)

03 ❶ 컴퍼스의 침은 원의 중심이 되는 곳에 꽂아
   야 합니다.

   ❷ 큰 원 1개와 작은 원 4개이므로 컴퍼스의 침
   을 꽂아야 할 곳은 모두 5군데입니다.

04 ❷ (파이의 지름)=(파이의 반지름)×2
                  =4×2=8 (cm)

   ❸ ㉠+㉡=24+8=32 (cm)

배점	채점기준
상	정사각형의 한 변의 길이가 원의 지름과 같음을 알고 답을 바르게 구함
중	풀이 과정이 부족하지만 답은 맞음
하	문제를 전혀 해결하지 못함

02

인정답안
정사각형의 네 변의 길이의 합은 원의 반지름의 8배와 같으므로 12×8=96 (cm)라고 식을 쓰고 답을 구해도 정답으로 인정합니다.

74~75쪽 | 풀이 과정을 직접 쓰는 **서술형 평가**

01 ⓔ (가 원의 반지름)=5 cm

   (나 원의 반지름)=14÷2=7 (cm)

   ⇨ 5+7=12 (cm) ; 12 cm

02 ⓔ (원의 지름)=(원의 반지름)×2
              =12×2=24 (cm)

   정사각형의 한 변의 길이는 원의 지름과 같으므
   로 24 cm입니다.

   ⇨ (정사각형의 네 변의 길이의 합)
      =24×4=96 (cm) ; 96 cm

03

   ⓔ 큰 원 1개와 작은 원 2개이므로 컴퍼스의 침
   을 꽂아야 할 곳은 모두 3군데입니다. ; 3군데

04 ⓔ ㉠의 길이는 파이의 반지름의 6배이므로
   3×6=18 (cm)입니다.

   ㉡의 길이는 파이의 반지름의 4배이므로
   3×4=12 (cm)입니다.

   ⇨ ㉠+㉡=18+12=30 (cm) ; 30 cm

03

배점	채점기준
상	컴퍼스의 침을 꽂아야 할 곳을 모두 찾고 똑같게 그림
중	컴퍼스의 침을 꽂아야 할 곳을 찾지 못했으나 똑같게 그림
하	문제를 전혀 해결하지 못함

04

배점	채점기준
상	㉠과 ㉡의 길이를 각각 구하고 합을 바르게 구함
중	풀이 과정이 부족하지만 답은 맞음
하	문제를 전혀 해결하지 못함

76쪽 | 밀크티 성취도평가 **오답 베스트 5**

01 2군데	02 21 cm	03 가
04 25 cm	05 10 cm	

02 (선분 ㅇㄱ)=(선분 ㅇㄴ)=8 cm

   ⇨ (삼각형 ㅇㄱㄴ의 세 변의 길이의 합)
      =8+5+8=21 (cm)

03 지름이 6 cm인 원의 반지름은 3 cm이므로
   컴퍼스를 3 cm만큼 벌려야 합니다.

04 (선분 ㄱㄴ)
   =(왼쪽 원의 반지름)+(가운데 원의 지름)+
   (오른쪽 원의 반지름)=6+14+5=25 (cm)

05 선분 ㄱㄴ의 길이는 40 cm이고 이 길이는 크
   기가 같은 원 4개의 지름의 길이의 합과 같습
   니다. ⇨ (원의 지름)=40÷4=10 (cm)

01

배점	채점기준
상	가와 나 원의 반지름을 구하고 합을 바르게 구함
중	풀이 과정이 부족하지만 답은 맞음
하	문제를 전혀 해결하지 못함

4 분수

01 $\frac{1}{5}$ 02 $\frac{3}{5}$ 03 $\frac{4}{5}$

04 4 05 3 06 2

07 10 08 5 09 10

10 20

05 12의 $\frac{1}{4}$은 12를 똑같이 4묶음으로 나눈 것 중의 1묶음이므로 12÷4=3입니다.

06 12의 $\frac{1}{6}$은 12를 똑같이 6묶음으로 나눈 것 중의 1묶음이므로 12÷6=2입니다.

07 12의 $\frac{1}{6}$이 2이므로 12의 $\frac{5}{6}$는 2×5=10입니다.

08 25 m의 $\frac{1}{5}$은 25 m를 똑같이 5조각으로 나눈 것 중 하나이므로 25÷5=5 (m)입니다.

09 25 m의 $\frac{1}{5}$이 5이므로
25 m의 $\frac{2}{5}$는 5×2=10 (m)입니다.

10 25 m의 $\frac{1}{5}$이 5이므로
25 m의 $\frac{4}{5}$는 5×4=20 (m)입니다.

01 $\frac{3}{2}$ 02 $\frac{8}{3}$ 03 $\frac{2}{3}$, $\frac{5}{3}$

04 $\frac{3}{4}$, $\frac{5}{4}$, $\frac{7}{4}$ 05 $\frac{1}{5}$, $\frac{4}{5}$, $\frac{7}{5}$ 06 진

07 가 08 가 09 진

10 $\frac{2}{2}$, $\frac{7}{6}$, $\frac{8}{3}$에 ○표

01 $\frac{1}{2}$이 3이므로 $\frac{3}{2}$입니다.

02 $\frac{1}{3}$이 8이므로 $\frac{8}{3}$입니다.

10 분자가 분모와 같거나 분모보다 큰 분수를 모두 찾습니다.
➡ $\frac{2}{2}$, $\frac{7}{6}$, $\frac{8}{3}$

01 $1\frac{1}{4}$ 02 $2\frac{2}{3}$ 03 $1\frac{1}{3}$에 ○표

04 $2\frac{4}{6}$에 ○표 05 $4\frac{1}{6}$에 ○표 06 $1\frac{3}{4}$

07 $1\frac{7}{8}$ 08 $3\frac{3}{5}$ 09 $\frac{11}{6}$

10 $\frac{15}{7}$

01 완전하게 색칠한 원이 1개, $\frac{1}{4}$이 1개이므로 $1\frac{1}{4}$입니다.

02 완전하게 색칠한 삼각형이 2개, $\frac{1}{3}$이 2개이므로 $2\frac{2}{3}$입니다.

05 ┃참고
$1\frac{7}{4}$과 같이 자연수와 가분수로 이루어진 분수는 대분수가 아닙니다.

01 > 02 < 03 <

04 > 05 < 06 >

07 > 08 <

09 > 10 $1\frac{7}{9}$에 ○표

03 분자의 크기를 비교하면 7<10이므로 $\frac{7}{5}<\frac{10}{5}$ 입니다.

04 분자의 크기를 비교하면 17>14이므로 $\frac{17}{6}>\frac{14}{6}$입니다.

05 자연수의 크기를 비교하면 1<2이므로 $1\frac{1}{8}<2\frac{5}{8}$입니다.

06 자연수의 크기가 같으므로 분자의 크기를 비교하면 $4>1$이므로 $3\frac{4}{9}>3\frac{1}{9}$입니다.

07 $2\frac{2}{7}$를 가분수로 나타내어 비교해 봅니다.

$2\frac{2}{7}=\frac{16}{7}$, $\frac{16}{7}>\frac{13}{7}$ ⇨ $2\frac{2}{7}>\frac{13}{7}$

08 $\frac{20}{3}$을 대분수로 나타내면 $\frac{20}{3}=6\frac{2}{3}$이므로

$4\frac{1}{3}<6\frac{2}{3}$ ⇨ $4\frac{1}{3}<\frac{20}{3}$입니다.

09 $1\frac{2}{11}$를 가분수로 나타내면 $1\frac{2}{11}=\frac{13}{11}$이므로

$\frac{13}{11}>\frac{12}{11}$ ⇨ $1\frac{2}{11}>\frac{12}{11}$입니다.

10 $1\frac{7}{9}$을 가분수로 나타내면 $\frac{16}{9}$이므로

$\frac{8}{9}<\frac{14}{9}<\frac{16}{9}$입니다.

83~85쪽 **단원평가 1회** **난이도 A**

01 $\frac{1}{3}$　**02** (예) 　**03** 대분수

04 $\frac{4}{7}$　**05** ㉠, ㉢　**06** ㉡, ㉣, ㉯, ㉰

07 $3\frac{3}{4}$　**08** >　**09** $\frac{7}{4}$　**10** 5

11 25　**12** ④

13 (예) ⚫⚫⚫⚫⚫⚫◯◯ ; 6

14 >　**15** $\frac{22}{7}$　**16** $\frac{5}{16}$　**17** $\frac{15}{15}$

18 3시간　**19** 종호　**20** $7\frac{4}{6}$

---

01 12를 4씩 묶으면 4는 3묶음 중 1묶음이므로 4는 12의 $\frac{1}{3}$입니다.

02 전체를 똑같이 6으로 나눈 것 중의 5이므로 5칸을 색칠합니다.

04 전체를 똑같이 7로 나눈 것 중의 4는 전체의 $\frac{4}{7}$입니다.

---

07 전체가 색칠된 사각형이 3개이고, 사각형 한 개를 똑같이 4로 나눈 것 중의 3이므로 $3\frac{3}{4}$입니다.

09 0과 1 사이를 똑같이 4로 나누었으므로 작은 눈금 한 칸은 $\frac{1}{4}$입니다. $\frac{1}{4}$이 7개이므로 □ 안에 알맞은 가분수는 $\frac{7}{4}$입니다.

10 30 cm의 $\frac{1}{6}$은 30 cm를 똑같이 6조각으로 나눈 것 중의 하나이므로 $30\div6=5$ (cm)입니다.

11 30 cm의 $\frac{1}{6}$은 5 cm이므로 30 cm의 $\frac{5}{6}$는 $5\times5=25$ (cm)입니다.

12 ④ $3\frac{2}{11}=\frac{35}{11}$

13 8을 똑같이 4묶음으로 나누면 1묶음은 2이고 3묶음은 $2\times3=6$입니다.

⇨ 8의 $\frac{3}{4}$은 6입니다.

14 분모가 같은 가분수의 크기 비교에서는 분자가 클수록 큰 수입니다.

$9>7$ ⇨ $\frac{9}{5}>\frac{7}{5}$

15 $\frac{21}{7}$은 3이므로 $\frac{22}{7}=3\frac{1}{7}$입니다.

⇨ $2\frac{6}{7}<3\frac{1}{7}(=\frac{22}{7})$

16 전체를 똑같이 16으로 나눈 것 중의 5는 전체의 $\frac{5}{16}$입니다.

17 분모가 15인 가분수는 분자가 15와 같거나 15보다 커야 합니다. 그중 분자가 가장 작은 수는 15이므로 구하는 분수는 $\frac{15}{15}$입니다.

18 하루 24시간을 똑같이 8로 나눈 것 중의 1은 3시간입니다.

19 $1\frac{3}{9}$은 $\frac{12}{9}$와 같으므로 $\frac{11}{9}<\frac{12}{9}$ ⇨ $\frac{11}{9}<1\frac{3}{9}$입니다.

20 가장 큰 대분수는 자연수 부분이 가장 큰 분수입니다.

⇨ $7\frac{4}{6}$

86~88쪽 | 단원평가 2회 | 난이도 A

01 6

02 예 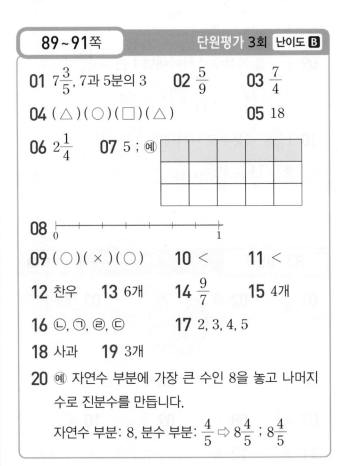 ; $\dfrac{1}{6}$

03 ②

04 $2\dfrac{3}{5}$

05 $\dfrac{9}{5}$, $\dfrac{31}{10}$에 ○표, $3\dfrac{7}{10}$, $2\dfrac{2}{6}$에 △표

06 6

07 4

08 $\dfrac{20}{19}$, $\dfrac{6}{6}$, $\dfrac{16}{13}$에 ○표

09 12

10 $2\dfrac{1}{3}$

11 $\dfrac{1}{5}$, $\dfrac{2}{5}$, $\dfrac{3}{5}$, $\dfrac{4}{5}$

12 < ; $1\dfrac{7}{8}$, $1\dfrac{3}{8}$

13 >

14 4 cm

15 $\dfrac{13}{8}$

16 $\dfrac{7}{7}$에 ○표

17 $6\dfrac{3}{5}$ m

18 3개

19 $\dfrac{3}{2}$, $\dfrac{4}{2}$, $\dfrac{4}{3}$

20 $2\dfrac{3}{4}$, $3\dfrac{2}{4}$, $4\dfrac{2}{3}$

03 ② 분자가 분모와 같은 분수는 가분수입니다.

06 12 cm의 $\dfrac{1}{4}$은 3 cm이므로

12 cm의 $\dfrac{2}{4}$는 2×3=6 (cm)입니다.

07 12 cm의 $\dfrac{1}{6}$은 2 cm이므로

12 cm의 $\dfrac{2}{6}$는 2×2=4 (cm)입니다.

08 분자가 분모와 같거나 분모보다 큰 분수를 찾습니다. ⇨ $\dfrac{20}{19}$, $\dfrac{6}{6}$, $\dfrac{16}{13}$

09 30 m의 $\dfrac{2}{5}$는 30 m를 똑같이 5조각으로 나눈 것 중의 2이므로 12 m입니다.

10 전체가 색칠된 부분이 많을수록 큰 수입니다.

⇨ $2\dfrac{1}{3} > 1\dfrac{2}{3}$

13 $\dfrac{14}{7}=2$이므로 $2 > 1\dfrac{1}{7}$입니다. ⇨ $\dfrac{14}{7} > 1\dfrac{1}{7}$

15 수직선의 작은 눈금 한 칸은 $\dfrac{1}{8}$입니다.

□는 $\dfrac{1}{8}$이 13개이므로 $\dfrac{13}{8}$입니다.

16 $\dfrac{6}{8}$: 분모와 분자의 합이 14이고 진분수입니다.

$1\dfrac{5}{9}$: 분모와 분자의 합이 14이고 대분수입니다.

17 $\dfrac{30}{5}$이 6과 같으므로 $\dfrac{33}{5}$ m=$6\dfrac{3}{5}$ m입니다.

18 $\dfrac{□}{4}$가 진분수이어야 하므로 □ 안에 들어갈 수 있는 자연수는 1, 2, 3으로 모두 3개입니다.

19 가분수는 분자가 분모와 같거나 분모보다 커야 합니다.

20 대분수의 분수 부분은 진분수가 되어야 합니다.

89~91쪽 | 단원평가 3회 | 난이도 B

01 $7\dfrac{3}{5}$, 7과 5분의 3

02 $\dfrac{5}{9}$

03 $\dfrac{7}{4}$

04 (△)(○)(□)(△)

05 18

06 $2\dfrac{1}{4}$

07 5 ; 예

08 [수직선: 0 ~ 1]

09 (○)(×)(○)

10 <

11 <

12 찬우

13 6개

14 $\dfrac{9}{7}$

15 4개

16 ㉢, ㉠, ㉣, ㉡

17 2, 3, 4, 5

18 사과

19 3개

20 예 자연수 부분에 가장 큰 수인 8을 놓고 나머지 수로 진분수를 만듭니다.

자연수 부분: 8, 분수 부분: $\dfrac{4}{5}$ ⇨ $8\dfrac{4}{5}$; $8\dfrac{4}{5}$

05 24 cm의 $\dfrac{1}{4}$은 6 cm이므로

24 cm의 $\dfrac{3}{4}$은 6×3=18 (cm)입니다.

06 $\dfrac{8}{4}$은 2와 같으므로 $\dfrac{9}{4}=2\dfrac{1}{4}$입니다.

08 수직선의 작은 눈금 한 칸은 $\dfrac{1}{7}$이므로 $\dfrac{7}{7}$은 작은 눈금 7칸만큼 간 곳으로 1과 같습니다.

11 자연수와 분모가 각각 같은 대분수는 분자가 클수록 큰 분수입니다.

$\dfrac{33}{7}=4\dfrac{5}{7}$이고 3<5이므로 $4\dfrac{3}{7}<4\dfrac{5}{7}$

⇨ $4\dfrac{3}{7}<\dfrac{33}{7}$입니다.

13 10의 $\frac{1}{5}$은 2이므로 10의 $\frac{3}{5}$은 $2 \times 3 = 6$입니다.

14 가분수는 $\frac{9}{7}$, $\frac{12}{12}$입니다.

$\frac{9}{7}$ ⇨ $7 + 9 = 16$, $\frac{12}{12}$ ⇨ $12 + 12 = 24$

15 $3\frac{1}{5}$, $3\frac{2}{5}$, $3\frac{3}{5}$, $3\frac{4}{5}$ ⇨ 4개

16 ㉡ $\frac{13}{11} = 1\frac{2}{11}$, ㉢ $\frac{19}{11} = 1\frac{8}{11}$

⇨ ㉡ $1\frac{2}{11}$ < ㉠ $1\frac{5}{11}$ < ㉣ $1\frac{6}{11}$ < ㉢ $1\frac{8}{11}$

17 가분수이므로 □는 5와 같거나 5보다 작아야 합니다.

18 $\frac{5}{3} = 1\frac{2}{3}$이므로 $1\frac{2}{3} > 1\frac{1}{3}$입니다.

따라서 더 많이 사용한 것은 사과입니다.

19 $2\frac{3}{8} = \frac{19}{8}$, $\frac{19}{8} < \frac{□}{8} < \frac{23}{8}$

$19 < □ < 23$에서 □ 안에 들어갈 수 있는 수는

20, 21, 22입니다. ⇨ $\frac{20}{8}$, $\frac{21}{8}$, $\frac{22}{8}$: 3개

92~94쪽 | **단원평가 4회** | **난이도 B**

01 ㉖
02 ③
03 $\frac{2}{3}$
04 $\frac{3}{5}$, $\frac{7}{5}$
05 $\frac{10}{7}$, $\frac{7}{7}$, $\frac{12}{9}$
06 $1\frac{1}{7}$
07 $\frac{27}{7}$
08 >
09 ∶ ∶
10 ④
11 학교
12 30
13 ㉠
14 ③
15 10개
16 6개
17 ㉖

→ 빨간색   → 파란색

18 4개
19 $\frac{4}{4}$, $\frac{5}{4}$, $\frac{6}{4}$, $\frac{7}{4}$

20 ㉖ 구하려는 진분수를 $\frac{□}{△}$라고 하면 □<△이므로 △+□=10, △-□=4입니다.

따라서 △=7, □=3이므로 구하려는 진분수는 $\frac{3}{7}$입니다. ; $\frac{3}{7}$

02 분자가 4인 분수는 ① $\frac{4}{4}$, ③ $\frac{4}{13}$, ④ $3\frac{4}{5}$, ⑤ $\frac{4}{2}$이고, 진분수는 분자가 분모보다 작은 분수이므로 ③ $\frac{4}{13}$입니다.

03 15를 5씩 묶으면 3묶음이 되고, 10은 3묶음 중 2묶음이므로 10은 15의 $\frac{2}{3}$입니다.

04 수직선의 작은 눈금 한 칸은 $\frac{1}{5}$입니다.

05 분자가 분모와 같거나 분모보다 큰 분수를 찾습니다.

06 분모가 7인 분수는 $\frac{10}{7}$, $1\frac{1}{7}$, $\frac{7}{7}$이고, 이 중에서 대분수는 $1\frac{1}{7}$입니다.

07 3은 $\frac{21}{7}$과 같으므로 $3\frac{6}{7}$은 $\frac{27}{7}$입니다.

08 $2\frac{5}{7} = \frac{19}{7}$, $\frac{19}{7} > \frac{15}{7}$

⇨ $2\frac{5}{7} > \frac{15}{7}$

09 $4 = \frac{20}{5}$이므로 $4\frac{2}{5} = \frac{22}{5}$입니다.

$6 = \frac{30}{5}$이므로 $6\frac{3}{5} = \frac{33}{5}$입니다.

10 ① $1\frac{3}{5}$ ② $2\frac{1}{5}$ ③ $2\frac{3}{5}$ ④ $3\frac{4}{5}$ ⑤ $5\frac{1}{5}$

11 $\frac{27}{12} = 2\frac{3}{12}$이므로 $2\frac{7}{12} > 2\frac{3}{12}$입니다.

⇨ 문구점에서 더 먼 곳은 학교입니다.

12 1시간은 60분이므로 60분의 $\frac{1}{2}$은 30분입니다.

13 $\frac{13}{8} > \frac{9}{8}$이고 $\frac{13}{8} = 1\frac{5}{8}$이므로 $1\frac{6}{8} > 1\frac{5}{8} > \frac{9}{8}$입니다.

따라서 가장 큰 분수는 ㉠입니다.

14 12의 $\frac{2}{3}$ ⇨ 8

① 2 ② 6 ③ 8 ④ 6 ⑤ 10

15 16의 $\frac{1}{8}$이 2이므로 16의 $\frac{5}{8}$는 $5 \times 2 = 10$입니다.

16 16의 $\frac{1}{8}$이 2이므로 16의 $\frac{3}{8}$은 $3 \times 2 = 6$입니다.

18 $\dfrac{19}{14}=1\dfrac{5}{14}$이므로 $1\dfrac{5}{14}>1\dfrac{\square}{14}$입니다.

⇨ $5>\square$에서 □ 안에 들어갈 수 있는 자연수는 1, 2, 3, 4로 모두 4개입니다.

19 분모가 4인 가분수를 $\dfrac{\square}{4}$라고 하면 $\dfrac{\square}{4}<2$,

$2=\dfrac{8}{4}$이므로 □는 4와 같거나 4보다 크고 8보다 작아야 합니다.

따라서 $\square=4, 5, 6, 7$이므로 $\dfrac{4}{4}, \dfrac{5}{4}, \dfrac{6}{4}, \dfrac{7}{4}$입니다.

95~97쪽 | 단원평가 5회 | 난이도 **C**

01 $\dfrac{4}{7}, \dfrac{10}{9}, 1\dfrac{3}{5}$　　**02** $\dfrac{3}{6}$

03 1과 8분의 5　　**04** $2\dfrac{3}{4}, \dfrac{11}{4}$　　**05** <

06 <　　**07** >　　**08** 3　　**09** 6

10

└ 노란색　　└ 초록색

11 3개　　**12** (위부터) $3\dfrac{10}{12}, \dfrac{67}{13}$　　**13** $\dfrac{1}{9}, \dfrac{2}{9}$

14 15　　**15** $\dfrac{7}{4}$　　**16**

17 $3\dfrac{2}{3}, \dfrac{10}{3}, 2\dfrac{1}{3}$　　**18** $\dfrac{7}{8}$

19 (예) 자연수 부분에 가장 작은 수인 2를 놓고 나머지 두 수로 진분수를 만듭니다.

자연수 부분: 2, 분수 부분: $\dfrac{3}{5}$ ⇨ $2\dfrac{3}{5}$

따라서 $2\dfrac{3}{5}$을 가분수로 나타내면 $2\dfrac{3}{5}=\dfrac{13}{5}$입니다.

; $\dfrac{13}{5}$

20 (예) $\dfrac{19}{6}=3\dfrac{1}{6}$이고 $\dfrac{35}{6}=5\dfrac{5}{6}$입니다.

따라서 $3\dfrac{1}{6}$보다 크고 $5\dfrac{5}{6}$보다 작은 자연수는 4, 5입니다. ; 4, 5

---

04 전체가 색칠된 사각형이 2개이고, 사각형 한 개를 똑같이 4로 나눈 것 중의 3이므로 $\dfrac{3}{4}$입니다.

⇨ $2\dfrac{3}{4}$

$\dfrac{1}{4}$로 나누어진 조각이 모두 11개이므로 $\dfrac{11}{4}$입니다.

07 대분수를 가분수로 나타내면 $4\dfrac{3}{7}=\dfrac{31}{7}$이므로 $4\dfrac{3}{7}>\dfrac{22}{7}$입니다.

10 노란색은 3칸, 초록색은 6칸을 색칠합니다.

11 $\dfrac{5}{4}, \dfrac{13}{9}, \dfrac{7}{7}$: 가분수, $\dfrac{10}{14}$: 진분수, $3\dfrac{2}{7}$: 대분수

13 분자가 분모인 9보다 작아야 합니다.

⇨ $\dfrac{1}{9}, \dfrac{2}{9}, \dfrac{3}{9}, \dfrac{4}{9}, \dfrac{5}{9}, \dfrac{6}{9}, \dfrac{7}{9}, \dfrac{8}{9}$

14 1시간은 60분이므로 60분의 $\dfrac{1}{4}$은 $60\div4=15$(분)입니다.

16 전체를 똑같이 6으로 나눈 것 중의 2칸을 색칠했으므로 $\dfrac{2}{6}$입니다. 수직선 작은 눈금 한 칸은 $\dfrac{1}{6}$이므로 $\dfrac{2}{6}$는 수직선 0에서 2칸만큼 간 곳입니다.

17 $\dfrac{10}{3}=3\dfrac{1}{3}$ ⇨ $3\dfrac{2}{3}>\dfrac{10}{3}>2\dfrac{1}{3}$

98~99쪽 | 단계별로 연습하는 **서술형 평가**

01 ❶ 4개　　❷ 12개

02 ❶ 5　　❷ 4　　❸ 9

03 ❶ $\dfrac{37}{4}$ cm　　❷ 수아

04 ❶ 6개　　❷ 5개　　❸ 19개

01 ❷ 20개의 $\dfrac{3}{5}$은 20을 5묶음으로 묶은 것 중의 3묶음이므로 $4\times3=12$(개)입니다.

02 ❶ 10을 2씩 묶으면 5묶음이 되고 2는 5묶음 중 1묶음입니다.

❷ 10의 $\dfrac{1}{5}$은 2이므로 8은 10의 $\dfrac{4}{5}$입니다.

03 ❶ 자연수 9는 $\frac{36}{4}$이므로 $9\frac{1}{4}$은 $\frac{37}{4}$과 같습니다.

❷ 분모가 같은 가분수의 크기 비교에서는 분자를 비교합니다.

$37 > 35 \Rightarrow \frac{37}{4} > \frac{35}{4}$

따라서 테이프를 더 많이 사용한 사람은 수아입니다.

04 ❶ 30을 똑같이 5로 나눈 것 중의 1은 6이므로 빨간색 구슬은 6개입니다.

❷ 30을 똑같이 6으로 나눈 것 중의 1은 5이므로 파란색 구슬은 5개입니다.

❸ $30 - 6 - 5 = 19$(개)

100~101쪽 | 풀이 과정을 직접 쓰는 **서술형 평가**

01 ⑩ 사탕 21개를 똑같이 7묶음으로 나눈 것 중의 한 묶음은 3이므로 4묶음은 $3 \times 4 = 12$입니다. 따라서 서윤이가 동생에게 준 사탕은 12개입니다. ; 12개

02 ⑩ 3은 9의 $\frac{1}{3}$이고, 6은 9의 $\frac{2}{3}$이므로 ㉠은 3이고, ㉡은 2입니다.

따라서 ㉠+㉡=3+2=5입니다. ; 5

03 ⑩ 주하가 사용한 테이프의 길이를 가분수로 나타내면 자연수 1은 $\frac{9}{9}$이므로 $1\frac{1}{9}$은 $\frac{10}{9}$과 같습니다.

$\frac{10}{9}$과 $\frac{12}{9}$의 크기를 비교하면 $10 < 12$이므로 $\frac{10}{9} < \frac{12}{9} \Rightarrow 1\frac{1}{9} < \frac{12}{9}$입니다.

따라서 테이프를 더 많이 사용한 사람은 리하입니다. ; 리하

04 ⑩ 빨간색 구슬은 40의 $\frac{1}{5}$이므로 8개이고, 파란색 구슬은 40의 $\frac{1}{8}$이므로 5개입니다.

따라서 노란색 구슬은 $40 - 8 - 5 = 27$(개)입니다. ; 27개

01

배점	채점기준
상	21의 $\frac{1}{7}$이 몇인지 구하여 답을 바르게 구함
중	풀이 과정이 부족하지만 답은 맞음
하	문제를 전혀 해결하지 못함

02

배점	채점기준
상	㉠과 ㉡에 알맞은 수를 구하여 합을 바르게 구함
중	풀이 과정이 부족하지만 답은 맞음
하	문제를 전혀 해결하지 못함

03

배점	채점기준
상	대분수를 가분수로 나타내거나 가분수를 대분수로 나타내어 답을 바르게 구함
중	풀이 과정이 부족하지만 답은 맞음
하	문제를 전혀 해결하지 못함

04

배점	채점기준
상	빨간색과 파란색 구슬이 각각 몇 개인지 구한후 노란색 구슬의 수를 구함
중	풀이 과정이 부족하지만 답은 맞음
하	문제를 전혀 해결하지 못함

102쪽 | 밀크티 성취도평가 **오답 베스트 5**

01 $\frac{19}{8}$ 02 딸기   03 ⑤

04 14개   05 $3\frac{2}{3}$

02 진분수: $\frac{1}{3}$, $\frac{8}{11}$, 가분수: $\frac{8}{7}$, 대분수: $1\frac{3}{4}$

따라서 필요한 양이 가분수인 재료는 딸기입니다.

03 분모가 같으므로 분자의 크기를 비교하면 $13 < \square < 19$입니다.

따라서 $\square$ 안에 들어갈 수 있는 자연수는 14, 15, 16, 17, 18로 모두 5개입니다.

04 귤 18개의 $\frac{1}{9}$은 2개입니다.

따라서 귤 18개의 $\frac{7}{9}$은 $2 \times 7 = 14$(개)입니다.

5 들이와 무게

106쪽 · 쪽지시험 1회

01 ( )(○) **02** (○)( ) **03** ㉮에 ○표
04 ㉯에 ○표 **05** 3 L
06 200 mL **07** 3 L
08 1000 **09** 5 **10** 4020

01 오른쪽 그릇에 물이 가득 차지 않으므로 오른쪽 그릇의 들이가 더 많습니다.

02 오른쪽 그릇에 물이 가득 차고 넘치므로 왼쪽 그릇의 들이가 더 많습니다.

03 ㉮ 그릇은 4컵, ㉯ 그릇은 3컵이므로 컵의 수가 더 많은 ㉮ 그릇의 들이가 더 많습니다.

107쪽 · 쪽지시험 2회

01 mL **02** L **03** mL
04 3, 700 **05** 6, 800 **06** 3, 800
07 2, 200 **08** 6, 100 **09** (○)( )
10 (○)( )

10 저울의 접시가 내려간 쪽이 더 무겁습니다.

108쪽 · 쪽지시험 3회

01 4 kg ; 4 킬로그램
02 200 g ; 200 그램
03 5 t ; 5 톤 **04** 7000
05 1000, 1500
06 kg **07** g **08** 3, 900
09 1, 600 **10** 8, 600

109~111쪽 · 단원평가 1회 난이도 A

01 7 L **02** (○)( )( )
03 3000 **04** 2 L
05 900 g **06** ㉮ **07** 2, 2000, 700, 2700
08 5, 70 **09** 4600 **10** mL에 ○표
11 t에 ○표 **12** 지우개, 2개
13 (선 연결) **14** =
15 ③
16 5 kg 100 g **17** 8, 1000, 5, 900
18 수조 **19** 200 g **20** 750 kg

12 연필: 동전 18개, 지우개: 동전 20개
➡ 지우개가 연필보다 동전 20−18=2(개)만큼 더 무겁습니다.

15 ③ 4030 g=4 kg 30 g

17
$$\begin{array}{r} \overset{8}{\cancel{9}}\,\text{L}\ \ \overset{1000}{200}\,\text{mL} \\ -\ 3\,\text{L}\ \ 300\,\text{mL} \\ \hline 5\,\text{L}\ \ 900\,\text{mL} \end{array}$$

18 3890 mL=3 L 890 mL
➡ 3 L 890 mL>3 L 800 mL

19 1800 g=1 kg 800 g
(더 사 오신 고구마의 무게)
=1 kg 800 g−1 kg 600 g=200 g

20 1 t=1000 kg
(남은 모래)=1000 kg−250 kg=750 kg

112~114쪽 · 단원평가 2회 난이도 A

01 40 kg **02** 5 리터 800 밀리리터
03 ( )(○)
04 주전자 **05** 3 L 250 mL
06 2000, 2, 2, 900 **07** ③ **08** 수조
09 mL **10** 8, 300 **11** 9, 900 **12** ㉠
13 ㉡ **14** 2 kg 300 g **15** 5 L 500 mL
16 ㉠ **17** 1 ; 9, 300 **18** 2 L 150 mL
19 1 kg 780 g **20** 29 kg 800 g

02 L는 리터, mL는 밀리리터라고 읽습니다.

03 저울의 접시가 내려간 쪽이 더 무겁습니다.

04 모양과 크기가 같은 그릇에 부었으므로 물의 높이가 높을수록 들이가 많습니다.

05 3 L의 물과 250 mL의 물을 합하면
3 L+250 mL=3 L 250 mL입니다.

08 컵의 수가 많을수록 들이가 더 많습니다.
⇨ 꽃병은 8컵, 수조는 9컵이므로 수조의 들이가 더 많습니다.

12 ㉠ 8 kg 230 g=8230 g
8230 g>8070 g ⇨ ㉠>㉡

13 ㉡ 버스 1대의 무게는 약 11 t입니다.

14
```
    9 kg  800 g
 −  7 kg  500 g
 ─────────────
    2 kg  300 g
```

15
```
    3 L  350 mL
 +  2 L  150 mL
 ──────────────
    5 L  500 mL
```

16 ㉠ 4 L 900 mL=4900 mL
㉣ 4 L 80 mL=4080 mL
⇨ ㉠>㉢>㉡>㉣

17 1000 mL는 1 L로 받아올림하여 계산합니다.
```
      1
    3 L  400 mL
 +  5 L  900 mL
 ──────────────
    9 L  300 mL
```

18 4400 mL=4 L 400 mL
(더 부은 물의 양)
=4 L 400 mL−2 L 250 mL
=2 L 150 mL

19 고구마의 무게는 1200 g이므로 1 kg 200 g입니다.
⇨ (고구마의 무게)+(바구니의 무게)
=1 kg 200 g+580 g
=1 kg 780 g

20 (민주의 몸무게)=(진아의 몸무게)−1 kg 700 g
```
     30    1000
    3̶1̶ kg  500 g
 −   1 kg  700 g
 ───────────────
    29 kg  800 g
```

---

01 6 리터 200 밀리리터　**02** ②, ⑤　**03** 5000

04 L에 ○표　**05** ㉣, ㉠, ㉡, ㉢

06 (○)( )( )　**07** =　**08** kg

09 ②　**10** ㉡　**11** 13, 900

12 2400, 2, 400　**13** ㉡, ㉣, ㉠, ㉢

14 12 L 300 mL　**15** 200 mL

16 29 L 700 mL　**17** ㉯

18 44 kg 320 g　**19** 1 kg 800 g

20 ㉎ 저울의 접시는 더 무거운 쪽으로 내려갑니다. 사과는 배보다 가볍고 토마토는 사과보다 가볍습니다. 따라서 가장 가벼운 것은 토마토입니다.
; 토마토

02 무게의 단위에는 g, kg, t이 있습니다.

09 ② 6500 g=6 kg 500 g

10 ㉠은 2 L−1950 mL=50 mL 차이가 나고
㉡은 2 L 5 mL−2 L=5 mL 차이가 나므로
2 L에 더 가까운 들이는 차이가 더 적은 ㉡입니다.

12 3900 mL−1500 mL
=2400 mL=2000 mL+400 mL
=2 L+400 mL=2 L 400 mL

13 ㉠ 5400 g ㉡ 6030 g ㉢ 5100 g ㉣ 6000 g
⇨ ㉡>㉣>㉠>㉢

14 받아올림에 주의하여 계산합니다.

15 물의 양이 400 mL이므로 600−400=200 (mL)를 더 넣으면 600 mL까지 채울 수 있습니다.

16 13500 mL=13 L 500 mL
(㉎ 욕조의 들이)+(㉏ 욕조의 들이)
=16 L 200 mL+13 L 500 mL
=29 L 700 mL

17 ㉎ 4 L 700 mL+2 L 400 mL
=6 L 1100 mL=7 L 100 mL
㉏ 12 L 300 mL−4 L 500 mL
=11 L 1300 mL−4 L 500 mL
=7 L 800 mL
⇨ 7 L 100 mL<7 L 800 mL

18 (남은 쌀의 양)

= (진수네 집에 있던 쌀의 양) − (먹은 쌀의 양)

= 72 kg 920 g − 28 kg 600 g

= 44 kg 320 g

19 (멜론 3개의 무게)

= (멜론 3개를 담은 바구니의 무게)

　　− (빈 바구니의 무게)

= 2 kg 600 g − 800 g

= 1 kg 1600 g − 800 g = 1 kg 800 g

118~120쪽　　　　단원평가 **4회** 난이도 **B**

01 물병　　　**02** 1, 톤　　　**03** 3000 mL

04 4000, 4200　**05** ③　　　**06** 3 kg 200 g

07 >　　　　**08** ②　　　**09** 13 kg 900 g

10 11 kg 950 g　　　　**11** 유나

12 종이컵　　　**13** 냄비

14 4, 200 ; 3, 850 ; ㉠　　　**15** ㉡, ㉠, ㉣, ㉢

16 12 L 220 mL　　　　**17** 7 kg 390 g

18 ㉡　　　　**19** 5 L 500 mL

20 예 (지우의 몸무게) + (영호의 몸무게)

　　= 45 kg 600 g + 38 kg 200 g

　　= 83 kg 800 g

　⇨ (아버지의 몸무게)

　　= 83 kg 800 g − 12 kg 300 g

　　= 71 kg 500 g ; 71 kg 500 g

---

01 물병에 물이 다 들어가고 넘치지 않으므로 물병의 들이가 더 많습니다.

07 7 kg 200 g = 7200 g ⇨ 7200 g > 7020 g

08 ① 5 t = 5000 kg

③ 20060 g = 20 kg 60 g

④ 60 L 40 mL = 60040 mL

⑤ 8 kg 7 g = 8007 g

09 7 kg 550 g + 6 kg 350 g

= (7 + 6) kg + (550 + 350) g

= 13 kg + 900 g

= 13 kg 900 g

10 14 kg 550 g − 2 kg 600 g

= 13 kg 1550 g − 2 kg 600 g

= (13 − 2) kg + (1550 − 600) g

= 11 kg + 950 g

= 11 kg 950 g

11 재희: 1 L 900 mL = 1900 mL

⇨ 2000 mL보다 100 mL 더 적습니다.

유나: 2010 mL

⇨ 2000 mL보다 10 mL 더 많습니다.

따라서 2 L와의 차이가 더 적은 유나가 더 가깝게 어림했습니다.

14 ㉠ 4 L 200 mL > ㉡ 3 L 850 mL

15 ㉠ 8 L 2 mL = 8002 mL

㉢ 8 L 200 mL = 8200 mL

⇨ ㉡ < ㉠ < ㉣ < ㉢

16 3 L 720 mL + 8 L 500 mL

= 11 L 1220 mL

= 12 L 220 mL

17 ㉠ 4 kg 710 g = 4710 g

㉢ 9 kg 680 g = 9680 g

┌ 가장 무거운 무게: ㉢ 9 kg 680 g

└ 가장 가벼운 무게: ㉣ 2290 g

⇨ (가장 무거운 무게) − (가장 가벼운 무게)

= 9 kg 680 g − 2290 g

= 9 kg 680 g − 2 kg 290 g

= 7 kg 390 g

18 ㉠ 3200 mL + 1400 mL

= 4600 mL

= 4 L 600 mL

㉡ 3 L 300 mL + 2600 mL

= 3 L 300 mL + 2 L 600 mL

= 5 L 900 mL

㉢ 2700 mL + 1 L 350 mL

= 2 L 700 mL + 1 L 350 mL

= 4 L 50 mL

19 1 L 800 mL + 2 L 500 mL + 1 L 200 mL

= 4 L 300 mL + 1 L 200 mL

= 5 L 500 mL

121~123쪽 단원평가 5회 난이도 C

01 주전자 **02** 8000 **03** 9008 **04** mL

05 > **06** 14 kg 700 g **07** ②

08 7, 300 **09** ㉠, ㉣ **10** 10배

11 2 kg 390 g **12** 물병, 주전자, 수조

13 지영, 40 mL **14** 18 kg 612 g

15 (위부터) 800, 18

16 예 1 L씩 5번 ⇨ 5 L

따라서 항아리의 들이는

5 L+700 mL=5 L 700 mL입니다.

; 5 L 700 mL

17 500 g **18** 1 L 400 mL **19** 1 L 400 mL

20 예 (준호의 몸무게)

=(아버지의 몸무게)-38 kg 100 g

=72 kg 200 g-38 kg 100 g

=34 kg 100 g

⇨ (아버지의 몸무게)+(준호의 몸무게)

=72 kg 200 g+34 kg 100 g

=106 kg 300 g ; 106 kg 300 g

01 주전자에서 옮겨 담은 물이 꽃병에서 옮겨 담은 물보다 많으므로 주전자의 들이가 더 많습니다.

05 5 t=5000 kg ⇨ 5000 kg>4990 kg.

07 ② 2 L 40 mL=2040 mL

08 6000 mL+1300 mL

=7300 mL

=7 L 300 mL

09 ㉠ 어미 코끼리 한 마리의 몸무게는 약 6 t입니다.

㉣ 트럭 2대의 무게는 약 2 t입니다.

10 ㉯ 컵으로 10번 부어야 수조가 가득 차므로 수조의 들이는 ㉯ 컵 들이의 10배입니다.

12 물을 부은 컵의 수가 적을수록 들이가 적습니다.

⇨ 물병 < 주전자 < 수조

13 지영: 1080 mL=1 L 80 mL

1 L 80 mL>1 L 40 mL이므로

지영이가 1 L 80 mL-1 L 40 mL=40 mL 더 많이 담았습니다.

14 9520 g>9 kg 480 g>9 kg 92 g

┌가장 무거운 무게: 9520 g
└가장 가벼운 무게: 9 kg 92 g

⇨ 9520 g+9 kg 92 g

=9 kg 520 g+9 kg 92 g=18 kg 612 g

15 • g 단위: □-500=300

⇨ □=300+500, □=800

• kg 단위: 32-□=14

⇨ □=32-14, □=18

17 (파인애플의 무게)-(멜론의 무게)

=1 kg 400 g-900 g=500 g

18 (남은 페인트의 양)

=(처음에 있던 페인트의 양)

-(사용한 페인트의 양)

=3 L-1 L 600 mL

=2 L 1000 mL-1 L 600 mL

=1 L 400 mL

19 500 mL들이 그릇으로 4번 부으면

500+500+500+500=2000 (mL)이고,

300 mL들이 그릇으로 2번 덜어 내면

300+300=600 (mL)를 덜어 낸 것입니다.

⇨ (㉮ 그릇으로 4번 부은 물의 양)

-(㉯ 그릇으로 2번 덜어 낸 물의 양)

=2000 mL-600 mL

=1400 mL=1 L 400 mL

124~125쪽 단계별로 연습하는 서술형 평가

01 ❶ 2500 mL ❷ 2500, > ❸ 소정

02 ❶ 1 kg 600 g

❷ 1, 600, 3, 700 ; 3 kg 700 g

03 ❶ 5 kg ❷ 5 kg 200 g ❸ ㉯

04 ❶ 1000, 400, 850 ; 850 mL

❷ 2 L 100 mL

01 ❸ 2500 mL>2050 mL이므로 페인트를 더 많이 산 사람은 소정입니다.

03 ❸ 5 kg<5 kg 200 g이므로 더 무거운 것은 ㉯입니다.

04 ❷ 1 L 250 mL+850 mL=2 L 100 mL

---

01 ㉫ 수호가 산 음료수는

$$1\,L\,200\,mL = 1\,L + 200\,mL$$
$$= 1000\,mL + 200\,mL$$
$$= 1200\,mL$$입니다.

1200 mL>1080 mL이므로 음료수를 더 많이 산 사람은 수호입니다. ; 수호

02 ㉫ 어머니께서 사 오신 송편은

$$1400\,g = 1000\,g + 400\,g$$
$$= 1\,kg + 400\,g$$
$$= 1\,kg\,400\,g$$입니다.

따라서 어머니께서 사 오신 떡은 모두

2 kg 200 g+1 kg 400 g=3 kg 600 g입니다.

; 3 kg 600 g

03 ㉫ ㉠ 1 kg 300 g+2 kg 700 g=4 kg

㉯ 5 kg 800 g−2 kg 100 g=3 kg 700 g

➡ 4 kg>3 kg 700 g이므로 더 가벼운 것은 ㉯
입니다. ; ㉯

04 ㉫ 원석이가 마신 수정과는

1 L 150 mL−500 mL=650 mL입니다.

따라서 두 사람이 마신 수정과는 모두

1 L 150 mL+650 mL=1 L 800 mL입니다.

; 1 L 800 mL

05 ㉫ 수민이와 동현이가 마신 주스는 모두

300 mL+400 mL=700 mL입니다.

따라서 남은 주스는

3 L 900 mL−700 mL=3 L 200 mL입니다.

; 3 L 200 mL

01

배점	채점기준
상	들이의 단위를 같게 하여 비교한 후 답을 바르게 구함
중	풀이 과정이 부족하지만 답은 맞음
하	문제를 전혀 해결하지 못함

02

배점	채점기준
상	무게의 합을 구하는 식을 쓰고 답을 바르게 구함
중	풀이 과정이 부족하지만 답은 맞음
하	문제를 전혀 해결하지 못함

03

배점	채점기준
상	두 무게의 합과 차를 구한 후 답을 바르게 구함
중	풀이 과정이 부족하지만 답은 맞음
하	문제를 전혀 해결하지 못함

04

배점	채점기준
상	들이의 합과 차를 이용하여 답을 바르게 구함
중	풀이 과정이 부족하지만 답은 맞음
하	문제를 전혀 해결하지 못함

---

01 ㉠ **02** 당근

03 8 kg 100 g, 3 kg 500 g

04 3 L 160 mL **05** 1 kg 600 g

01 2050 mL=2000 mL+50 mL
$$= 2\,L + 50\,mL = 2\,L\,50\,mL$$

02 오이와 당근 중에서 당근이 더 무겁고, 오이와 양파 중에서 오이가 더 무거우므로 가장 무거운 채소는 당근입니다.

03 합: 2 kg 300 g+5 kg 800 g=8 kg 100 g

차: 5 kg 800 g−2 kg 300 g=3 kg 500 g

04 1 L 580 mL+1 L 580 mL=3 L 160 mL

05 (빈 바구니의 무게)

$$= 4\,kg\,900\,g - 3\,kg\,300\,g$$
$$= 1\,kg\,600\,g$$

6 자료의 정리

01 줄다리기   **02** 14명

03 (위부터) 28, 83 ; 45, 97   **04** 박 터뜨리기

05 줄다리기

06 예 준호네 반 학생들이 좋아하는 동물

07 준호네 반 학생   **08** 10, 8, 6, 24

09 개   **10** 4명

03 • (공 굴리기를 하고 싶은 여학생 수)
   $=48-20=28$(명)
   • (여학생 수의 합계)$=30+28+25=83$(명)
   • (줄다리기를 하고 싶은 남학생 수)
   $=70-25=45$(명)
   • (남학생 수의 합계)$=32+20+45=97$(명)

01 그림그래프   **02** 10, 1   **03** 유미

04 주원   **05** 33권   **06** 113권

07 2가지

08

과일의 수

과일	과일의 수
귤	◎ ◎ ○ ○ ○ ○
배	○ ○ ○
사과	◎ ○ ○ ○

09 배, 귤, 사과

10

과수원별 귤 수확량

과수원	수확량
가	🟫 🟫 🟫 🟫 🟫
나	🟫 🟫 🟫 🟫 🟫 🟫 🟫
다	🟫 🟫

05 📚이 3개이므로 30권, 📕이 3개이므로 3권입니다.
   ⇨ $30+3=33$(권)

06 지수: 33권, 소현: 23권, 유미: 42권, 주원: 15권
   ⇨ $33+23+42+15=113$(권)

07 과일의 수가 두 자리 수이므로 그림을 2가지로 나타내는 것이 좋습니다.

01 강아지   **02** 10명   **03** 2, 1, 3, 4, 10

04 강아지   **05** 그림그래프   **06** 34마리

07 다 농장   **08** 나 농장   **09** 35송이

10

학교별 심은 꽃의 수

학교	꽃의 수
온누리	🌸 🌸 🌸 🌸 🌸 🌸 🌸
구름	🌸 🌸 ✽ ✽
사랑	🌸 🌸 🌸 🌸 🌸 ✽
한솔	🌸 ✽ ✽ ✽

11 사랑 학교   **12** 14장   **13** 파란색   **14** 4장

15 예 10 kg과 1 kg인 2가지로 나타내는 것이 좋을 것 같습니다.

16

목장별 우유 생산량

목장	우유 생산량
가	🥛 🥛 🥛 🥛 🥛 🥛
나	🥛 🥛 🥛 🥛 🥛 🥛 🥛
다	🥛 🥛 🥛 🥛 🥛 🥛 🥛 🥛
라	🥛 🥛 🥛

17 나 목장, 가 목장, 다 목장, 라 목장

18 101동, 33명   **19** 7명

20 ① 예 연날리기를 좋아하는 학생은 8명입니다.
   ② 예 팽이치기를 좋아하는 학생 수가 가장 많습니다.

정답 및 풀이

02 조사한 학생수를 세어 보면 모두 10명입니다.

03 동물별로 학생 수를 세어 봅니다.
오리: 2명, 다람쥐: 1명, 고양이: 3명, 강아지: 4명
⇨ 합계: 2+1+3+4=10(명)

04 강아지를 좋아하는 학생이 4명으로 가장 많습니다.

05 조사한 수를 그림으로 나타낸 그래프를 그림그래프라고 합니다.

06 10마리 그림이 3개, 1마리 그림이 4개이므로 다 농장에서 기르는 염소는 34마리입니다.

07 가 농장: 23마리, 나 농장: 19마리,
다 농장: 34마리, 라 농장: 20마리
⇨ 염소가 가장 많은 농장: 다 농장

09 100−22−19−24=35(송이)

11 온누리 학교: 35송이, 구름 학교: 22송이,
사랑 학교: 19송이, 한솔 학교: 24송이
⇨ 가장 적게 심은 학교: 사랑 학교

12 100−29−32−25=14(장)

13 색종이 수를 비교하면 32>29>25>14이므로 가장 많은 색종이는 파란색입니다.

14 빨간색: 29장, 노란색: 25장
⇨ 29−25=4(장)

16 가: 43 kg ⇨ 10 kg 4개, 1 kg 3개
나: 51 kg ⇨ 10 kg 5개, 1 kg 1개
다: 37 kg ⇨ 10 kg 3개, 1 kg 7개
라: 32 kg ⇨ 10 kg 3개, 1 kg 2개

17 나 목장(51 kg)>가 목장(43 kg)>
다 목장(37 kg)>라 목장(32 kg)

18 101동: 33명, 102동: 17명,
103동: 24명, 104동: 21명
⇨ 33명>24명>21명>17명으로 가장 많은 학생이 사는 동은 33명으로 101동입니다.

19 102동: 17명, 103동: 24명
⇨ 24−17=7(명)

136~138쪽	단원평가 2회 난이도 A

01 5, 3, 4, 3, 15 　　**02** 15명 　　**03** 축구

04 표 　　**05** 42그루 　　**06** 천재 학교

07 18그루

08 예 도영이네 반 학생들이 좋아하는 간식

09 8, 7, 5, 10, 30 　　**10** 10권, 1권

11 34권, 46권, 23권 　　**12** ③ 　　**13** 3개, 7개

14 260 ;

반별 학급문고 수

반	학급문고 수
1	
2	
3	
4	

15 527동, 33명 　　**16** 528동, 16명

17 8명

18 예 10 kg과 1 kg인 2가지로 나타내는 것이 좋을 것 같습니다.

19

요일별 캔 조개의 무게

요일	조개의 무게
월	
화	
수	
목	

20 월요일, 화요일, 수요일, 목요일

---

02 5+3+4+3=15(명)

03 축구를 좋아하는 학생이 5명으로 가장 많습니다.

04 표에서 좋아하는 운동별 학생 수를 바로 알 수 있기 때문입니다.

05 10그루 그림이 4개, 1그루 그림이 2개이므로 40+2=42(그루)입니다.

06 10그루 그림의 수를 비교합니다.

07 나무를 가장 많이 심은 학교: 소망 학교(53그루)
나무를 가장 적게 심은 학교: 천재 학교(35그루)
⇨ 53−35=18(그루)

44 · 수학 3-2

09 조사한 자료의 수를 세어 봅니다.

12 그림그래프에서 100권 그림이 2개, 10권 그림이 6개이므로 2반의 학급문고는 200+60=260(권) 입니다.

13 3반의 학급문고는 370권이므로 100권 그림 3개, 10권 그림 7개를 그려야 합니다.

14 4반의 학급문고는 430권이므로 100권 그림 4개, 10권 그림 3개를 그려야 합니다.

15 10명의 그림 수가 많을수록 학생 수가 많습니다.

16 527동: 33명, 528동: 16명, 529동: 25명, 530동: 22명

⇨ 가장 적은 남학생이 사는 아파트 동은 528동 이고 16명입니다.

17 33−25=8(명)

20 월요일(53 kg)>화요일(41 kg)
>수요일(36 kg)>목요일(33 kg)

---

01 ④　　**02** ⑤　　**03** 129개　**04** 240 kg

05 아름 마을　　　　**06** 달빛 마을

07 190 kg

08 예 10개와 1개인 2가지로 나타내는 것이 좋을 것 같습니다.

09

과자별 판매량

과자	판매량
A	🍪🍪🍪🍪🍪🍪
B	🍪🍪🍪🍪
C	🍪🍪🍪🍪🍪🍪
D	🍪🍪🍪🍪🍪

10 C, A, D, B　　　**11** 25개　　**12** 라 마을

13 29마리　**14** 114마리

15 라 마을, 나 마을, 가 마을, 다 마을

16 6, 4, 3, 2, 15 ; 2, 7, 3, 2, 14

17 12명　　**18** 219명

19

과수원별 딸기 수확량

과수원	딸기 수확량
행복	🍓🍓🍓🍓🍓
상큼	🍓🍓🍓🍓🍓
푸른	🍓🍓🍓🍓
풍성	🍓🍓🍓🍓🍓🍓

20 과학관 ; 예 두 반의 학생 수를 합한 수가 가장 큰 과학관으로 현장 체험 학습을 가면 좋을 것 같습니다.

03 아버지: 53개, 어머니: 47개, 효리: 29개
⇨ 53+47+29=129(개)

06 별빛 마을: 240 kg, 달빛 마을: 360 kg,
아름 마을: 430 kg, 누리 마을: 320 kg
⇨ 아름 마을>달빛 마을>누리 마을>별빛 마을

07 감자 생산량이 가장 많은 마을: 아름 마을(430 kg),
감자 생산량이 가장 적은 마을: 별빛 마을(240 kg)
⇨ 430−240=190 (kg)

11 56−31=25(개)

13 소가 가장 많은 마을: 라 마을(41마리),
소가 가장 적은 마을: 다 마을(12마리)
⇨ 41−12=29(마리)

14 가 마을: 25마리, 나 마을: 36마리,
다 마을: 12마리, 라 마을: 41마리
⇨ 25+36+12+41=114(마리)

15 41>36>25>12
⇨ 라 마을>나 마을>가 마을>다 마을

16 (남학생 수의 합계)=6+4+3+2=15(명)
(여학생 수의 합계)=2+7+3+2=14(명)

17 4학년: 62명, 5학년: 74명
⇨ 74−62=12(명)

18 4학년: 62명, 5학년: 74명, 6학년: 83명
⇨ 62+74+83=219(명)

19 (푸른 과수원의 딸기 수확량)
=800−230−150−180=240(상자)
100상자는 큰 그림으로, 10상자는 작은 그림으로 나타냅니다.

정답 및 풀이

142~144쪽   단원평가 **4회** 난이도 **B**

01 5, 7, 4, 2, 18   **02** 18명   **03** 7명

04 여름, 봄, 가을, 겨울   **05** 810동, 22대

06 3대   **07** (위부터) 3, 5, 4, 3, 15 ; 2, 5, 3, 4, 14

08 동태, 140마리   **09** 고등어, 갈치, 꽁치, 조기, 동태

10 460마리   **11** 고등어   **12** 34병

13

편의점별 생수 판매량

편의점	판매량
가	
나	
다	
라	

14 다, 가, 나, 라

15 ① 예 생수를 가장 많이 판 곳은 다 편의점입니다.
　② 예 생수를 가장 적게 판 곳은 라 편의점입니다.

16

모둠별 칭찬 붙임딱지 수

모둠	칭찬 붙임딱지 수
가	
나	
다	
라	

17 나 모둠

18 피구 ; 예 두 반의 학생 수를 합한 수가 가장 큰 피구로 운동 경기를 하면 좋을 것 같습니다.

19

학예회 종목

종목	학생 수
합창	
합주	
연극	
무용	

20 예 2개 단위로 그릴 때보다 그림의 수가 줄었습니다.

02 01의 표를 보면 합계가 18이므로 18명입니다.

04 7>5>4>2이므로 좋아하는 학생 수가 많은 순서대로 계절을 쓰면 여름, 봄, 가을, 겨울입니다.

05 810동>812동>813동>811동
　(22대)　(14대)　(11대)　(8대)

06 11-8=3(대)

08 100마리 그림이 가장 적은 생선은 동태로 140마리입니다.

10 꽁치: 320마리, 동태: 140마리
　⇨ 320+140=460(마리)

11 가장 많이 팔린 고등어를 준비하는 것이 좋습니다.

12 160-43-38-45=34(병)

13 단위에 맞게 그립니다.

14 다(45병)>가(43병)>나(38병)>라(34병)

17 라 모둠: 25장
　⇨ 칭찬 붙임딱지가 25×2=50(장)인 모둠은 나 모둠입니다.

20 단위가 늘어나면 더 간단하게 나타낼 수 있습니다.

145~147쪽   단원평가 **5회** 난이도 **C**

01 34마리   **02** 22, 34, 40, 16, 112   **03** 24마리

04 표   **05** 10권, 1권   **06** 42권

07 6월   **08** 3월   **09** 2개, 1개

10

여행하고 싶은 장소

장소	학생 수
제주도	
경주	
울릉도	
부산	

11 해 마을   **12** 1110상자   **13** 630상자

14

과수원별 사과 생산량

과수원	사과 생산량
가	
나	
다	
라	

15 ① 예 나 마을에서 기르고 있는 오리는 22마리입니다.

② 예 라 마을이 가 마을보다 12마리 더 많이 기르고 있습니다.

16 된장찌개, 삼계탕, 냉면, 비빔밥

17 19그릇 　　　　**18** 25, 50, 150

19

초등학교에 입학한 신입생 수

마을	신입생 수
해님	☺ ☺ ☺ ☺ ☺ ☺ ☺ ☺
바람	☺ ☺ ☺ ☺ ☺ ☺ ☺
달님	☺ ☺ ☺ ☺ ☺
구름	☺ ☺ ☺ ☺ ☺ ☺

20 예 25<33<42<50이므로 신입생 수가 바람 마을보다 적은 마을은 해님 마을과 구름 마을입니다. ; 해님 마을, 구름 마을

01 10마리 그림이 3개, 1마리 그림이 4개이므로 30+4=34(마리)입니다.

02 10마리 그림과 1마리 그림을 구분하여 몇 마리씩인지 알아봅니다.

03 다 농장: 40마리, 라 농장: 16마리
⇨ 40−16=24(마리)

04 표에서 합계를 보면 편리합니다.

05 📕은 10권, 📖은 1권을 나타냅니다.

06 10권 그림이 4개, 1권 그림이 2개이므로 42권입니다.

07 3월: 42권, 4월: 53권, 5월: 33권, 6월: 21권
⇨ 책을 가장 적게 빌려 간 달: 6월

08 6월: 21권
⇨ 빌려 간 책이 21×2=42(권)인 달은 3월입니다.

09 21명은 10명 그림 2개, 1명 그림 1개를 그려야 합니다.

11 해 마을은 34명, 달 마을은 42명, 별 마을은 17명이므로 해 마을의 초등학생 수가 별 마을의 초등학생 수의 2배입니다.

12 (가 과수원과 다 과수원의 사과 생산량)
=2230−580−540=1110(상자)

13 가 과수원의 생산량을 □ 상자라고 하면 다 과수원의 생산량은 (□−150)상자입니다.
□+□−150=1110, □+□=1260
⇨ □=630

16 된장찌개(42그릇)>삼계탕(34그릇)
>냉면(31그릇)>비빔밥(23그릇)

17 42−23=19(그릇)

18 해님 마을의 신입생 수를 □명이라 하면 달님 마을의 신입생 수는 (□×2)명입니다.
□+42+□×2+33=150, □×3=75, □=25
⇨ 해님 마을: 25명, 달님 마을: 25×2=50(명)

148~149쪽　　단계별로 연습하는 **서술형 평가**

01 ❶ 예 연찬이네 반 학생
❷ 여행 가고 싶은 나라 ; 11, 8, 12, 4, 35

02 ❶ 370, 310, 180, 은빛　　❷ 1090 kg

03 ❶

외국인 학생들이 좋아하는 한국 음식

음식	학생 수
불고기	☺ ☺ ☺ ☺ ☺ ☺ ☺ ☺ ☺ ☺
김치전	☺ ☺ ☺ ☺ ☺ ☺ ☺ ☺ ☺
비빔밥	☺ ☺ ☺ ☺ ☺ ☺ ☺
갈비탕	☺ ☺ ☺ ☺

❷ 예 가장 많은 학생들이 좋아하는 음식인 불고기를 준비하면 좋을 것 같습니다.

04 ❶ 12, 42 ; 42, 48
❷ 48, 25
;

야영에 참가한 학생 수

학년	학생 수
3학년	☺ ☺ ☺
4학년	☺ ☺ ☺ ☺ ☺ ☺
5학년	☺ ☺ ☺
6학년	☺ ☺ ☺ ☺ ☺

02 ❷ 230+370+310+180=1090 (kg)

정답 및 풀이

풀이 과정을 직접 쓰는 서술형 평가

01 ① 예 나 공장의 자동차 생산량은 5000대입니다.
② 예 자동차 생산량이 많은 공장부터 순서대로 쓰면 나, 다, 라, 가입니다.

02

과수원	사과나무 수
과수원별 사과나무 수	

과수원	사과나무 수
푸른	🌳🌳🌳🌳🌳🌳
햇살	🌳🌳🌳
달콤	🌳🌳🌳🌳🌳🌳🌳
신선	🌳🌳🌳🌳🌳🌳🌳🌳

03 예 1반: 25명, 2반: 24명, 3반: 26명, 4반: 23명, 5반: 25명, 6반: 27명입니다.
$27 > 26 > 25 > 24 > 23$이므로 학생이 가장 많은 반은 6반입니다. ; 6반

04 예 반달 마을: 370상자, 햇살 마을: 520상자, 사랑 마을: 630상자, 은하 마을: 450상자
$\Rightarrow 370 + 520 + 630 + 450 = 1970$(상자)
; 1970상자

01

배점	채점기준
상	2가지 사실 모두 바르게 씀
중	2가지 사실 중 한 가지만 바르게 씀
하	문제를 전혀 해결하지 못함

02

배점	채점기준
상	표를 보고 그림그래프로 바르게 나타냄
중	표를 보고 그림그래프로 나타내는 데 실수함
하	문제를 전혀 해결하지 못함

03

배점	채점기준
상	각 반의 학생 수를 구하여 답을 바르게 구함
중	풀이 과정이 부족하지만 답은 맞음
하	문제를 전혀 해결하지 못함

인정답안

10명 그림의 수가 같으므로 1명 그림의 수를 비교하여 학생 수가 가장 많은 반을 구해도 정답으로 인정합니다.

04

배점	채점기준
상	네 마을에서 생산한 단감 생산량의 합을 바르게 구함
중	풀이 과정이 부족하지만 답은 맞음
하	문제를 전혀 해결하지 못함

밀크티 성취도평가 **오답 베스트 5**

01 190 kg **02** 윤지 **03** 80 kg
04 8권 **05** 25명

01 큰 그림은 100 kg, 작은 그림은 10 kg을 나타냅니다. 따라서 다 농장은 큰 그림이 1개, 작은 그림이 9개이므로 수확한 감자는 190 kg입니다.

02 (남색 자전거 수)
$= 100 - 18 - 35 - 26 = 21$(대)
1년 동안 가장 많이 팔린 자전거는 회색 자전거이고 가장 적게 팔린 자전거는 흰색 자전거입니다. 남색 자전거는 1년 동안 21대 팔렸으므로 바르게 말한 학생은 윤지입니다.

03 라 농장은 240 kg, 다 농장은 160 kg입니다.
$\Rightarrow 240 - 160 = 80$ (kg)

04 진호: 12권, 준우: 14권, 예슬: 23권
따라서 소영이가 읽은 책의 수는
$57 - 12 - 14 - 23 = 8$(권)입니다.

05 피아노: 34명, 플루트: 16명, 드럼: 13명
$\Rightarrow$ 첼로: $88 - 34 - 16 - 13 = 25$(명)

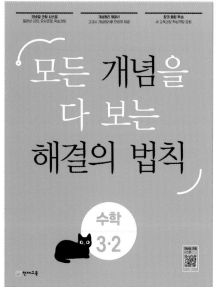
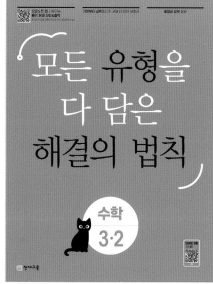

**정답은
이안에
있어 !**

◀

초등학교 　　학년 　　반 　　번

이름